Tome 3
LE SANG DE L'ALLIANCE

**Catalogage avant publication de Bibliothèque
et Archives nationales du Québec
et Bibliothèque et Archives Canada**

Comeau, Yanik, 1968-
Les enfants Dracula
Sommaire: t. 3. Le sang de l'alliance.
Pour les jeunes.
ISBN 978-2-89585-042-7 (v. 3)
I. Titre. II. Titre: Le sang de l'alliance.
PS8555.O516E53 2010   jC843'.54   C2009-942280-8
PS9555.O516E53 2010

Illustration : Sybiline

Les Éditeurs réunis bénéficient du soutien financier de la SODEC
et du Programme de crédit d'impôt du gouvernement du Québec.

Nous remercions le Conseil des Arts du Canada
de l'aide accordée à notre programme de publication.

Nous reconnaissons l'aide financière du gouvernement du Canada
par l'entremise du Fonds du livre du Canada pour nos activités d'édition.

Édition :
LES ÉDITEURS RÉUNIS
www.lesediteursreunis.com

Distribution au Canada :   *Distribution en Europe :*
PROLOGUE   DNM
www.prologue.ca   www.librairieduquebec.fr

Imprimé au Canada

Dépôt légal : 2010
Bibliothèque et Archives nationales du Québec
Bibliothèque nationale du Canada
Bibliothèque nationale de France

Yanik Comeau

LES ENFANTS
DRACULA

Tome 3
LE SANG DE L'ALLIANCE

LER
LES ÉDITEURS RÉUNIS

DU MÊME AUTEUR
(principaux ouvrages)

Les Éditeurs réunis (LÉR)
Les enfants Dracula, tome 1 – Les enfants de la nuit, 2010
Les enfants Dracula, tome 2 – La résurrection de la chair, 2010
Les enfants Dracula, tome 3 – Le sang de l'alliance, 2010
Les enfants Dracula, tome 4 – La fête des morts, hiver 2011

Éditions Héritage
L'arme secrète de Frédéric, roman, collection Libellule, 1994
Frédéric en orbite!, roman, collection Libellule, 1996

Éditions Milan (France)
«Sarah et Guillaume chez le père Noël», conte, dans *Mille ans de contes – Québec*, 1996-2008

Éditions HRW / Grand Duc
Vénus en autobus, roman, collection L'Heure Plaisir Coucou, 1997
Jupiter en hélicoptère, roman, collection L'Heure Plaisir Coucou, 1997

Éditions Pierre Tisseyre
«Les phases de la lune», nouvelle, dans *Entre voisins*, collection Conquêtes, 1997
«Ski de chalet sous la pleine lune», nouvelle, dans *Peurs sauvages*, collection Conquêtes, 1998
Voulez-vous m'épouser, mademoiselle Lemay?, roman, collection Sésame, 1998
«Pour l'amour de Virginie…», nouvelle, dans *Petites malices et grosses bêtises*, collection Conquêtes, 2001

Éditions Vents d'Ouest
«Étienne Desloges aux premières loges!», nouvelle, dans *Les nouvelles du sport*, collection Girouette, 2003
«Les planètes, mes complices», nouvelle, dans *Les baguettes en l'air*, collection Girouette, 2005
«Chalet de glace», nouvelle, dans *Bye-bye, les parents!*, collection Ados, 2006
«Miroir, miroir», nouvelle, dans *Histoires de fous*, collection Girouette, 2007
«Sang-froid sur le métier…», nouvelle, dans *Nuits d'épouvante*, collection Ados, 2008
«L'Affaire du chat Valère», nouvelle, dans *L'Affaire est ketchup*, collection Girouette, 2009

COMUNIK Média
Coups de théâtre! – 36 courtes pièces de théâtre pour enfants et adolescents, volumes 1 à 6, théâtre, 2003-2010
Enter Stage Right! – A collection of 36 short plays for kids and teens, volume 1, théâtre en anglais, 2005

À Carl, Tanya et Maxime,
mes frères et ma sœur de sang, de cœur et d'amour.

À Elizabeth et Robert,
nos parents, qui nous ont donné ce sang,
ces cœurs et cet amour.

PROLOGUE

— Douce divinité !

Oleana Popescu se réveilla en sursaut, étourdie et échevelée. Encore un cauchemar… Ce dernier semblait plus vrai que nature. Comme si la gouvernante du château de Dracula était devenue médium, devineresse ou prédicatrice. Elle avait l'impression que ces rêves étaient des prémonitions ou des transmissions télépathiques qui servaient à lui communiquer ce qui se passait depuis le départ des enfants Dracula.

Pourtant, il n'en était rien. Lorsqu'elle se raisonnait, Oleana Popescu s'en rendait bien compte. Cependant, ce troublant cauchemar, qui s'ajoutait aux autres, lui avait paru si limpide…

Milos, Elizabeth et Sarah venaient la visiter au château. Mais avant qu'elle ne puisse s'en réjouir, elle s'apercevait non seulement qu'ils étaient maintenant tous les trois des vampires, mais aussi qu'ils avaient emprunté le visage de leur père, qu'ils étaient devenus des clones du maître. Elle arrivait toujours à les distinguer l'un de l'autre par leurs voix et leurs chevelures, mais pour le reste, ils étaient identiques en tout point.

Même sur le plan de la personnalité, au grand désespoir de la gouvernante, Sarah, Elizabeth et Milos
étaient devenus cruels, despotiques, sadiques.

Dans son rêve, construit comme une série de
tableaux effroyables, madame Popescu avait été
secouée par des images de têtes sanglantes, coupées et
plantées sur des pieux. Les cheveux des victimes
dansaient dans le vent de la tempête qui se préparait à
éclater sur la montagne, et des mèches balayaient les
yeux figés par l'épouvante. Des corps étaient brûlés vifs
par Milos Dracula qui tenait une torche allumée
pendant que ses sœurs poussaient des rires
démoniaques. Sarah avalait goulûment des coupes de
sang humain sans prendre garde aux éclaboussures
puisque le liquide rouge coulait à flots et que cette
abondance la rendait euphorique. Pendant ce temps,
Elizabeth déchirait les vêtements des jeunes éphèbes,
les employés que madame Popescu avait embauchés
pour travailler dans les jardins autour du château. Ils
étaient tombés sous le charme hypnotique de la fille
vampire, qui abusait de leur corps et des plaisirs de la
chair avant de couper leur jugulaire avec ses ongles
acérés et de plaquer sa bouche sur la source jaillissante
de leur cou pour les vider de leur sang.

— Non, non, non! Tout cela est impossible, se
répétait madame Popescu, convaincue que les enfants
qu'elle avait rencontrés quelques jours plus tôt ne
pouvaient pas avoir autant changé en si peu de temps.

Néanmoins, comme elle était sans nouvelles d'eux,
elle s'inquiétait. Qu'étaient-ils devenus, ces enfants de
Dracula, depuis qu'ils avaient quitté le château?
Étaient-ils entrés dans la cohorte? Avaient-ils

commencé à vampiriser leurs proches pour atteindre l'objectif fixé par leur abominable père ? Elle aurait dû leur demander de l'appeler à leur arrivée à New York, Killester et Québec et de lui donner ensuite régulièrement des nouvelles.

Madame Popescu n'arrivait plus à dormir. Il était très tôt, mais des cauchemars angoissants la guettaient dès qu'elle fermait les yeux. Elle craignait de plus en plus pour sa santé mentale chaque fois qu'un de ces rêves bouleversants venait la tenailler.

Elle repoussa ses draps et son édredon et balança ses jambes engourdies vers le bord de son lit. Un peu coincée dans sa robe de nuit, elle dut se tortiller pour que ses pieds touchent enfin le plancher. Elle se leva péniblement et maudit sa lourdeur et ses articulations endolories avant de trottiner jusqu'à la grande fenêtre donnant sur la nuit encore noire à cette heure-là. Elle prit quelques minutes pour réfléchir, s'étirer et passer ses doigts dans ses cheveux poivre et sel pour les replacer.

Inspirant et expirant profondément pour tenter de chasser les images horribles qui avaient envahi son esprit, madame Popescu décida qu'il lui fallait appeler les enfants. Après avoir fait quelques calculs de fuseaux horaires, elle enfila la robe de chambre qui l'attendait, suspendue à la patère près de sa table de chevet, et sortit de sa chambre. Elle se retrouva dans le sombre couloir de l'aile des domestiques, du côté nord du manoir. Elle entreprit d'arpenter le long corridor en écrasant nerveusement la balle antistress que sa main avait trouvée dans la poche de son peignoir. La balle lui avait été offerte par son ami et collègue, le chef cuisinier

Morneau, qui s'inquiétait beaucoup pour elle depuis le départ des enfants.

Elle se rendit d'un pas décidé à la cuisine du château dans laquelle monsieur Morneau avait fait aménager, quelques années plus tôt, un petit espace bureau pour qu'il puisse communiquer avec ses fournisseurs et ses sous-traitants sans être dérangé par les bruits d'ustensiles des marmitons à l'œuvre. Madame Popescu savait qu'à cette heure elle serait tranquille pour téléphoner.

Elle composa rapidement le numéro de cellulaire que lui avait laissé Milos. À sa grande déception, elle tomba sur une boîte vocale.

— Bonjour, Milos, dit-elle, feignant le calme et la joie de vivre. C'est Oleana Popescu à l'appareil. Je te téléphone pour m'assurer que tu vas bien. Tu serais gentil de me rappeler. Je ne veux pas paraître trop… mère poule, je… je veux juste m'assurer que tu vas bien. Excuse-moi. Je l'ai déjà dit. Tu me rappelleras ? Quand tu peux… ce n'est pas urgent, euh… mais rappelle-moi pour me… Je l'ai déjà dit. Ce… ce serait… gentil. À bientôt, mon garçon.

Après avoir raccroché, madame Popescu perdit le faux sourire qu'elle s'était imposé pour que sa voix semble assurée. Elle avait appelé Milos «mon garçon». Pourtant, elle s'était dit, juste avant de composer le numéro, qu'elle devait éviter toute référence… maternelle. «Je ne suis pas sa mère. Il va me trouver envahissante», se gronda-t-elle avant de pousser un soupir de découragement.

Elle inspira profondément pour se donner du courage et composa le numéro du téléphone d'Elizabeth.

— Oui, bonjour, fit la voix de la jeune fille.

— Belle enfant! Quelle joie de…

— C'est ma boîte vocale, enchaîna la voix préenregistrée de l'adolescente qui coupa madame Popescu sur sa lancée. Laissez-moi un message. Sinon, vous pouvez être sûr que je ne vous rappellerai pas. À bientôt!

Surprise, la gouvernante commença à parler après le timbre sonore:

— Elizabeth? Est-ce que tu es là? Mais non, tu n'es pas là, voyons! C'est cette vilaine machine. (Soupir.) C'est moi… madame Popescu. Tu te souviens? Mais bien sûr que tu te souviens. Que je suis bête! Écoute, belle enfant: j'aimerais que tu m'appelles au château… enfin… chez toi, pour me donner des nouvelles. D'accord? Je… je m'inquiète pour toi, ta sœur et ton frère. Tu peux me téléphoner? Je pense à vous. Bonne…

Elle jeta un regard à sa montre.

— Douce divinité! Ce que je suis bête! J'ai calculé à l'envers. Je t'ai appelé en pleine nuit! J'espère que je ne t'ai pas réveillée. Euh… dors bien… Bonne nuit… et téléphone-moi quand tu te lèveras, d'accord?

En reposant le combiné, elle réalisa qu'elle n'avait pas salué Elizabeth avant de raccrocher.

— Ce que je suis impolie!

La gouvernante se leva en hochant la tête en signe de découragement. Avant de sortir du bureau de monsieur Morneau, elle se sermonna à nouveau. «Tu as dit "chez

11

toi", vieille folle! Ce n'est pas chez elle, ici. Chez elle, c'est à Killester, en Irlande, avec ses parents. Tu prends toujours tes désirs pour des réalités.»

— Oleana?

Madame Popescu sursauta et porta une main à son cou.

— Oh, excusez-moi, dit monsieur Morneau. Je ne voulais pas vous effrayer.

Le cuisinier, un incorrigible lève-tôt, avait déjà la tête dans ses chaudrons et préparait des brioches pour le petit-déjeuner.

— Qu'est-ce que vous faisiez dans mon bureau?

La gouvernante rougit comme si l'accès à cette pièce lui était interdit.

— J'ai appelé Milos et Elizabeth. Je n'en pouvais plus d'être sans nouvelles.

Plus habile que son amie pour calculer les différences d'heures d'un continent à l'autre, Jean-Jacques Morneau échappa:

— En pleine nuit?

— Merci de me le rappeler, dit madame Popescu, penaude.

Ce fut au tour de l'homme de rougir.

— Et vous les avez joints?

Madame Popescu referma la porte du bureau, contrariée.

— Je n'ai parlé qu'à ces damnés répondeurs automatiques!

Jean-Jacques Morneau sourit avec compassion et essuya sur son tablier la farine qui poudrait ses mains avant d'aller chercher un fauteuil confortable pour son amie.

— Je suis heureux que vous soyez déjà levée. Vous pourrez me tenir compagnie. Asseyez-vous un peu. Je prépare vos brioches préférées.

Madame Popescu accepta le fauteuil, mais se releva tout de suite pour aller entrouvrir la porte du bureau.

— J'ai peur de ne pas entendre la sonnerie s'ils me rappellent, expliqua-t-elle avant de venir se rasseoir, l'air distant et préoccupé.

Voyant son trouble, le chef Morneau conclut qu'il fallait des mesures plus radicales pour sortir sa bien-aimée de cette triste léthargie.

— Oleana, après le petit-déjeuner, me permettrez-vous une folie?

Tirée de ses préoccupations, madame Popescu tourna le regard vers son ami.

— Vous êtes si bon pour moi, Jean-Jacques. Je ne sais pas ce que je ferais si vous n'étiez pas là.

— C'est gentil, mais je trouve que je n'en fais pas assez. C'est pourquoi, aujourd'hui, dès que vous vous serez délectée de mes brioches à la cannelle, je vous emmènerai à Bucarest pour vous faire découvrir le restaurant de mon ami Florent Larouche. Vous serez traitée comme une reine.

Oleana sourit poliment.

— Vous savez que je ne peux rien vous refuser, mais… pas aujourd'hui. Je préfère rester à la maison pour attendre les appels des enfants.

Monsieur Morneau avait tout prévu.

— Oh, mais vous n'aurez pas à vous en faire pour les enfants. Je vais transférer les appels de la maison sur mon portable et je vous confierai l'appareil. Ainsi, vous pourrez répondre vous-même lorsque Milos et Elizabeth rappelleront.

Il semblait si convaincu que les enfants Dracula allaient rappeler que le visage de madame Popescu s'illumina.

— Vous croyez vraiment qu'ils retourneront mes appels ?

— Mais bien sûr ! Vous avez été tellement accueillante, gentille, chaleureuse…

— Envahissante ?

— Mais non, voyons ! Vous avez été formidable avec eux. Vous les avez rassurés et vous leur avez permis de se sentir en sécurité ici, ce qui n'était pas une mince affaire.

Madame Popescu esquissa un sourire.

— Je préfère quand même rester ici. Je serai plus certaine de ne pas rater leurs appels.

Monsieur Morneau réalisa qu'il serait obligé de sortir les gros canons.

— Avec le cellulaire, vous ne les manquerez pas. Et si vous acceptez mon invitation, vous pourrez aussi profiter du branchement Internet du restaurant pour expédier un message aux trois enfants. Ils vous ont laissé des adresses électroniques, non?

— Oui.

— Alors c'est décidé. Nous partons tout de suite après le petit-déjeuner.

Madame Popescu sourit, touchée mais encore inquiète à l'idée de quitter le château.

— D'accord, dit-elle enfin, davantage pour faire plaisir à monsieur Morneau que par réelle envie de sortir.

Fier de ses talents de persuasion, monsieur Morneau sentit une euphorie, une excitation envahir son gros bedon rond. Prochaine étape: avouer son amour à Oleana? Ouf! Une chose à la fois. Il ne fallait pas trop lui en demander, quand même!

CHAPITRE 1

New York, 21 octobre

Encore ébranlé par l'apparition inattendue de son père sur la scène pendant le salut de la troupe du *Rocky Horror Picture Show*, Milos fut le dernier des acteurs à entrer dans la loge après la représentation.

— C'était vraiment impressionnant! entendit-il Sebastian s'exclamer. Une surprise incroyable à dix jours de l'Halloween.

«Et à douze jours de la fête des Morts», songea Milos en se rappelant le délai fixé par son père.

Tous s'accordaient pour dire que Barry, le gérant du cinéma, leur avait joué un bon tour parce que personne n'était au courant de ce qu'il avait préparé.

— C'est clair qu'il veut nous surprendre, nous mettre en danger, comme on dit à l'Actors Studio, affirma Patricia, une comédienne qui avait étudié au prestigieux institut fondé par Cheryl Crawford, Elia Kazan et Robert Lewis et dirigé par le maître Lee Strasberg pendant plusieurs années.

«Mais nous aurions pu être *vraiment* en danger!» avait le goût de crier Milos. Cependant, il se contenta de se le dire dans sa tête.

— On ne voyait même pas le harnais! commenta Kevin, fort impressionné lui aussi.

«C'est parce qu'il n'y en avait pas!» s'exclama intérieurement le fils de Dracula.

— Tu ne dis rien, Milos? demanda Sebastian, curieux.

Surpris par la question, l'interpellé balbutia:

— Hein? Euh… ben… ouais, c'était vraiment super!

Les autres s'amusèrent de l'attitude étrange de Milos tout en se démaquillant et en se changeant.

«Ils n'ont vraiment aucune idée…» songea Milos, soulagé. Mais il était néanmoins tiraillé entre son désir de dénoncer les pratiques de son père et sa crainte d'être victime d'une chasse aux vampires si on faisait un rapprochement entre lui et Dracula.

— J'ai vraiment hâte de féliciter Barry, dit Frank Cooney, le vétéran des acteurs du *Picture Show* qui incarnait le vieux docteur Everett V. Scott, en s'assoyant devant un miroir avec son lait démaquillant. Je n'aurais jamais cru que le Chelsea se doterait d'un tel équipement. C'est le genre de choses qui multiplie les possibilités d'innovation et de création.

Milos leva les yeux au plafond, découragé. Le moins qu'on puisse dire, c'est que son père avait le tour de créer des situations délicates pour son entourage.

Dès qu'une place fut libre devant le miroir, le jeune vampire s'y glissa. Pendant qu'il se démaquillait, il pensa à Cassandra ; il avait été surpris de la voir dans la salle pendant la représentation. Il se demandait comment elle allait depuis sa transformation. En était-elle toujours heureuse ? En souffrait-elle ? Lui en voulait-elle ? Pourquoi avait-elle assisté au spectacle ? Avait-elle besoin de lui parler ? Toutes ces questions le troublaient parce qu'Océane et Matthew étaient non seulement dans la salle eux aussi, mais qu'ils ne savaient encore rien de ses aventures dans les Carpates et de sa nouvelle vie de vampire.

— Est-ce que quelqu'un a vu Matthew après la représentation ? demanda Kevin.

— Tu as déjà perdu ton amoureux ? dit Lana pour taquiner son ami.

— Je ne suis même pas certain qu'il soit à moi encore, alors… je ne peux pas le perdre, hein ? répondit l'interprète de Riff Raff dans le *Picture Show*, avec une pointe d'agacement dans la voix.

— Il n'en tient qu'à toi, Kevin, enchaîna Milos qui se disait que rien ne serait mieux dans la vie de Matthew qu'un peu de stabilité amoureuse.

— Tu penses ? demanda Kevin avec un scepticisme évident.

— J'en suis convaincu.

De petits «Ooohhh !» et de grands «Oouuuu !» se firent entendre dans la loge comme dans une cour d'école primaire.

— *Matthew and Kevin sitting in a tree… K-I-S-S-I-N-G!* récita Lana en se dandinant comme une gamine autour de Kevin.

Amusé, ce dernier rougit et se contenta de grommeler :

— *Shut up !*

Tout le monde éclata de rire.

†

Pendant qu'ils attendaient les acteurs qui se changeaient et se démaquillaient, certains admirateurs s'étaient massés sous la marquise devant le cinéma. Parmi eux, Océane et Matthew, Elizabeth et Rick, Sarah et Loulou avaient déjà fait connaissance.

— Milos ne m'a jamais dit qu'il avait des sœurs, et ça fait quand même plus d'un an que nous nous connaissons, grommela Matthew, contrarié mais surtout méfiant.

Dès leurs premières semaines d'amitié et de cohabitation, il avait parlé de son frère et de ses parents, et Milos avait raconté à son colocataire sa vie d'enfant unique avec ses parents à Melnik… Qui étaient donc ces deux filles-là ?

Elizabeth et Sarah se regardèrent, mal à l'aise.

— Nous avons été adoptées… et nous n'avons jamais vécu ensemble, avoua Elizabeth, pesant ses mots pour éviter de trop en dire. Sarah, Milos et moi, nous ne nous sommes connus que récemment. N'est-ce pas, Sarah ?

— Euh… oui. C'est ça. C'est… bien compliqué.

Sarah afficha son sourire charmeur qui réussissait habituellement à dissiper les doutes chez son interlocuteur.

Matthew n'était pas convaincu. Il répondit seulement par un sourire narquois.

— En tout cas, moi, je suis très heureuse de vous rencontrer ! s'exclama Océane en caressant chaleureusement les épaules des sœurs de son amoureux.

Contente de mettre enfin un visage sur le nom d'Océane, Sarah répondit du tac au tac :

— Nous aussi ! Milos nous a beaucoup parlé de toi pendant…

Elizabeth serra doucement le bras de Sarah pour freiner son enthousiasme et éviter qu'elle ne fasse une gaffe.

— … depuis que nous nous connaissons, termina Sarah d'une voix plus calme. Je… Ça me fait vraiment plaisir de te rencontrer. C'est vrai que tu es très belle.

Océane sourit et remercia Sarah du compliment.

C'est alors que Cassandra sortit du cinéma. Elle aperçut Matthew et s'approcha de lui. Elle sautillait sur place comme si elle avait terriblement froid et elle se tapotait les bras pour se réchauffer. Pourtant, elle venait de sortir du cinéma, où il faisait chaud, et la température extérieure était douce pour une nuit d'octobre.

Matthew l'avait vue aussi, mais tentait d'éviter son regard pour ne pas qu'elle vienne lui parler. Les deux conquêtes de son colocataire l'une à côté de l'autre, c'était trop pour lui à cette heure tardive !

— Salut, Matt…

En fin de compte, il n'aurait pas le choix…

— Oh, Cass! *Hi!* Tu étais là? Je ne t'avais pas vue!

Même Matthew eut l'impression d'avoir trop forcé la note. Les autres froncèrent les sourcils.

Cassandra était plus pâle qu'à son habitude. Elle semblait fatiguée, malade. Elle reniflait. Matthew s'inquiéta pour elle.

— Qu'est-ce qui t'arrive? Ça ne va pas?

La jeune femme feignit la nonchalance en poussant un petit rire.

— Ah, ce n'est rien. Un petit rhume, sans plus.

Matthew ne put s'empêcher de se dire: «J'espère que ce n'est pas Milos qui te l'a donné sous l'escalier. Sinon, nous serons *tous* contaminés!» Mais il évita de prononcer les mots à haute voix.

— Probablement un peu de surmenage combiné à un manque de sommeil, renchérit Cassandra. Ça me fait plaisir de te revoir.

Elle s'approcha de Matthew et l'embrassa sur les joues avant de l'étreindre un peu trop fort. Le jeune homme sentit un malaise, une nervosité, une urgence dans l'étreinte. Il rougit, ne sachant pas comment interpréter le comportement de Cassandra. Étrange qu'elle n'ait pas cru bon de garder une distance pour ne pas transmettre ses microbes… Tentait-elle d'acheter son silence? Comme s'il avait eu l'intention de les dénoncer, elle et Milos, d'avoir joué au docteur dans un endroit à peine caché!

— *Ciao*, Matt! souffla la jeune femme dans l'oreille de celui-ci en passant ses mains dans les cheveux du garçon avec une étrange intensité.

Matthew la salua aussi. Sans plus de cérémonie, Cassandra disparut, tournant le coin de la rue plus vite que l'on tourne les coins ronds!

— Il y a longtemps que tu la connais? demanda Océane, amusée.

— Cass? Ah, oui. Euh… elle fréquente l'Academy avec nous. Je… j'ai fait un film avec elle.

Océane eut un petit sourire coquin.

— Est-ce qu'elle sait que tu es… dans l'équipe? À la façon qu'elle a de te regarder, on peut en douter…

Les yeux de Matthew s'écarquillèrent.

— *Oh, my God*, non! Cass sait très bien dans quelle équipe je joue! On est juste amis!

Matthew ne put s'empêcher de se dire: «J'aimerais pouvoir en dire autant de Milos et Cassandra.» Mais, une fois de plus, il retint sa langue.

†

Quelques minutes plus tard, les comédiens du *Picture Show* sortirent du complexe sous une pluie d'applaudissements des spectateurs et des amis qui les attendaient. Une série de «Bravo, c'était tellement bon!», de «Wow!», de «J'ai tellement aimé ça!» et d'autres commentaires et compliments fusèrent en désordre. Accolades et baisers s'ajoutèrent aux flots d'amour.

— *Hey*, Milos! Tu viens avec nous au Lucky Cheng's cette fois?

Penaud, Milos se tourna vers Nikolas, l'interprète de Brad Majors devant l'écran du *Picture Show*, et lui présenta ses excuses.

— Mes sœurs et leurs invités sont en ville, mais… on se reprend demain soir?

Malgré leur déception, les membres de la distribution acquiescèrent en faisant promettre au «petit nouveau» de ne pas leur faire faux bond le lendemain.

Lorsqu'il vit Kevin, Matthew se composa une attitude glaciale.

— Qu'est-ce que tu fais? souffla Océane à son ami. Va le voir!

Heureux que sa complice ait remarqué son jeu, il murmura:

— Pourquoi irais-je le voir? Il m'a ignoré toute la soirée!

— Matthew, ne sois pas ridicule! Il jouait! Il n'avait pas le temps d'être ton prince charmant.

Matthew feignit une moue d'indifférence. Comme il était intraitable, Océane lui claqua une fesse pour qu'il avance vers Kevin.

— *Ow!* fit Matthew en sautant un pas en avant et en se tournant vers Océane en se frottant le popotin.

Kevin s'approcha, comme s'il avait senti qu'il devait faire lui-même les premiers pas.

— Est-ce que je peux te parler, Matthew?

Ce dernier eut un petit sourire, qu'il tenta rapidement de camoufler.

— Tu as quelque chose à me dire? dit-il en regardant Kevin seulement du coin de l'œil.

Kevin prit doucement Matthew par le bras et l'emmena à l'écart pour qu'ils puissent se parler seul à seul pendant que tous les autres échangeaient baisers, accolades et promesses de se voir le lendemain.

À peine une minute plus tard, aussi subtil qu'un éléphant dans un magasin de porcelaine, Matthew regagna le groupe en s'écriant:

— *Ciao*, Milos! Bye, Wet One! Je pars avec Kevin *and the gang*. Pas nécessaire de laisser la lumière allumée. Je ne rentrerai pas coucher. Ça m'a fait plaisir de vous rencontrer, Sarah, Louise, Elizabeth… et Rick. Vraiment *hot*, ton *chum*, Elizabeth. *Ciao, ciao!*

Et aussi vite qu'il avait lancé ses au revoir, Matthew partit bras dessus, bras dessous avec Kevin en direction du resto-bar Lucky Cheng's, point de rassemblement traditionnel des comédiens du *Picture Show*.

Rick rougit comme une tomate trop mûre. Il n'était pas habitué de recevoir des commentaires aussi spontanés sur son apparence physique… surtout pas d'un gars!

Après que le duo se fut éloigné, Milos constata qu'il ne restait plus que lui et son petit groupe.

— Ouf! Il est difficile à suivre, mon Matthew.

Venait-il de dire *mon* Matthew? Tout le monde le regarda, intrigué. Milos décida d'assumer ses paroles.

— Ben oui! Il sera toujours *mon* Matthew. Malgré tout.

Son ton était presque triste, presque nostalgique, comme celui d'un parent qui voit son enfant quitter le nid familial!

On s'échangea des regards et on convint qu'il était peut-être mieux d'en rester là…

— Est-ce que tu viens au resto avec nous? demanda spontanément Sarah à Océane.

Milos était à la fois heureux de l'enthousiasme de sa petite sœur à l'égard de la présence d'Océane dans sa vie et tiraillé à l'idée de manger avec ses nouvelles frangines et son amoureuse qui ne savait rien de sa transformation.

— C'est gentil, Sarah, mais nous devrons nous reprendre, répondit la jeune femme. Je suis vraiment fatiguée et je n'ai pas mis les pieds chez moi depuis plusieurs jours, alors je vais rentrer.

Milos réussit assez bien à cacher son soulagement et à feindre la déception.

— Je t'appelle demain, mon amour, dit Océane après avoir embrassé Milos. Amusez-vous bien. Il faudra que tu me racontes ces retrouvailles avec tes nouvelles sœurs dont tu ne m'avais pas encore parlé.

Milos eut un sourire contraint qui fut tout de suite imité par Elizabeth et Sarah. Loulou et Rick se regardèrent, incertains de l'attitude à adopter. Pour compenser le fait qu'il n'avait toujours pas dit toute la vérité à Océane, le jeune homme embrassa son amie avec encore plus de passion.

— Je t'aime, tu sais… déclara-t-il en plongeant ses yeux dans ceux d'Océane.

Comblée, cette dernière sourit encore.

Elle salua les invités de Milos et se mit en route vers son appartement.

Après un court silence, Elizabeth lança:

— Ouais, le frère! Tu as du goût!

Tout le groupe éclata de rire… sauf Milos qui sourit tristement et donna une petite claque amicale à sa sœur.

— Ben quoi? Tu n'es pas d'accord?

— Moi, en tout cas, je suis d'accord! lança spontanément Rick, admiratif.

Tout le monde s'esclaffa, sauf Elizabeth qui se tourna rapidement vers son amoureux.

— On ne t'a rien demandé! dit-elle, feignant la jalousie, ce qui déclencha une fois de plus l'hilarité.

— Mais il a raison, je trouve, ajouta naïvement Sarah.

— Il a raison, mais il n'a pas droit de vote! trancha Elizabeth le plus sérieusement du monde, avant de sourire et d'embrasser un Rick soulagé.

Mamie Loulou, la seule qui ne s'était pas encore prononcée, décida d'y mettre son grain de sel. Elle se tourna vers Milos:

— Je trouve que vous faites un couple formidable, Océane et toi. Mais je me demandais… cette jolie rousse… Cassandra, qu'elle s'appelle?… Est-ce que tu es amoureux d'elle aussi?

CHAPITRE 2

Killester, 21 octobre

Molly O'Neil revint de l'hôpital après un quart de travail particulièrement éprouvant. Trois accouchements de front, dont une césarienne d'urgence – un bébé qui s'était présenté par le siège – et un prématuré dont la naissance avait été provoquée par un accident de voiture dans lequel la jeune mère y avait presque laissé sa peau. La mère d'Elizabeth sortait d'une montagne russe d'émotions et ses nerfs étaient à vif. Exténuée, elle n'avait qu'une idée en tête : ramper jusqu'à son lit et dormir vingt-quatre heures sans interruption !

Son projet fut interrompu à cause d'un bout de papier solitaire, abandonné par sa fille sur la table de la cuisine avant son départ. Après l'incontournable « Quoi encore ? » qui surgit naturellement dans sa tête, Molly se laissa choir sur une des chaises et inspira profondément, déjà prête à être découragée et s'attendant au pire.

Papa, maman,

Je pars encore, cette fois, pour vrai, avec Rick. Je suis heureuse. Je suis en sécurité et je serai prudente. Je devrais revenir dimanche soir au plus tard. Ne m'attendez donc pas pour la messe, à moins que je revienne plus tôt que prévu. Je sais que vous serez encore en colère, mais ça ne sert à rien de vous faire du mauvais sang. Ça ne changera rien. Quand je reviendrai, il faudra que nous ayons une conversation sérieuse. Beaucoup de choses ont changé et ça ne peut plus continuer comme ça. Je suis certaine que vous serez d'accord.

Je vous aime.

Lizzie xxx

Molly leva les bras et laissa tomber la lettre, comme si elle jetait l'éponge du même coup. La missive atterrit sur la table comme une feuille d'automne.

— Ça ne peut plus continuer comme ça, dis-tu? poussa-t-elle à voix haute comme si sa fille avait été là, devant elle. Tu n'as jamais si bien dit, Elizabeth Gurney! Tu ne paies rien pour attendre.

La colère et le sentiment de trahison qu'éprouvait la mère d'Elizabeth se transformèrent rapidement en douleur et en tristesse.

— Je t'aime tellement, tête folle! Qu'est-ce que tu fais de ta vie, pour l'amour de Dieu? Je ne te comprends plus. En fait, t'ai-je déjà comprise? J'ai tant voulu que tu sois bien, que tu sois heureuse. J'ai toujours voulu te protéger. C'est clair que je m'y suis mal prise.

Patrick Gurney apparut dans le cadre de la porte de la cuisine, les sourcils froncés.

— À qui parles-tu?

Molly sursauta. Elle renifla et essuya rapidement ses yeux avant de répondre :

— À ta fille.

Comme plusieurs parents, Molly et Patrick avaient adopté ce langage qui en disait long lorsqu'ils parlaient de leurs enfants. Le code était facile à déchiffrer. L'enfant a fait un mauvais coup ou dérive sérieusement vers la délinquance ? *Ton* fils, *ta* fille. L'enfant a fait un bon coup à l'école ou dans une de ses activités parascolaires, a eu un mot d'esprit particulièrement délicieux ou a surpris l'unité parentale en accomplissant un geste gratuit et généreux dans la maison (brin de ménage, poubelle apportée au chemin, panier de vêtements propres pliés…) ? *Mon* fils, *ma* fille.

Patrick se rendit vite compte que même si sa femme parlait à leur fille, cette dernière n'était pas présente.

— Bon. Qu'est-ce qu'elle a encore fait ? demanda le père d'Elizabeth avec sa voix du matin.

Molly se contenta de ramasser brusquement la lettre et de la tendre à son mari. Patrick Gurney lut le message et s'assit sur une chaise, avant de pousser un soupir d'impuissance.

— C'est tout ? Tu ne dis rien ? s'insurgea Molly.

— Qu'est-ce que tu veux que je dise ?

— Que tu veux la tuer, que tu veux tuer Rick… Je ne sais pas, moi !

— Je l'aime.

Molly O'Neil fut tellement surprise par la simplicité de la réponse de son mari qu'elle se mit à pleurer.

†

Transylvanie – Bucarest, 21 octobre

Pendant que la voiture de Jean-Jacques Morneau roulait vers Bucarest, Oleana Popescu réalisa qu'elle n'avait pas quitté le château depuis près d'un an. «C'est fou!» songea-t-elle.

— Merci, Jean-Jacques.

Madame Popescu n'avait pas parlé depuis presque une heure. Le cuisinier fut pris par surprise.

— Merci? Pour quoi?

— Merci de m'avoir forcée à sortir de la maison.

— Je vous ai forcée? Je suis désolé.

Madame Popescu sourit en gloussant:

— Mais non, vous ne m'avez pas forcée. Disons que vous m'avez… entraînée.

— Entraînée?

Le mot utilisé par sa compagne amusait monsieur Morneau parce qu'il l'entendait habituellement dans la bonne vieille expression «entraîné dans le vice». Il choisit cependant de ne pas relever cette observation devant madame Popescu. Après tout, oui, il aimait la gouvernante et il espérait qu'elle s'en rendrait compte un jour, mais… il était aussi beaucoup trop timide pour lui avouer ouvertement ses sentiments.

Les yeux toujours tournés vers le cellulaire de monsieur Morneau qu'elle tentait de faire sonner avec ses prières, madame Popescu entreprit d'éclaircir sa pensée.

— Je veux dire… merci de m'avoir fait sortir de la maison. Merci de m'emmener à Bucarest pour me changer les idées. Je n'avais pas réalisé à quel point j'en avais besoin.

Le cuisinier se contenta de sourire béatement à sa passagère. Son projet était déjà un succès.

— Vous croyez vraiment que les enfants me rappelleront ?

— Mais bien sûr. Soyez patiente.

— Vous me connaissez assez pour savoir que ce n'est pas ma plus grande qualité.

Monsieur Morneau poussa un petit rire affectueux. Il aimait bien l'humour d'Oleana Popescu et son sens de l'autodérision.

Avant d'arriver dans la capitale de la Roumanie, la gouvernante, à bout de patience, tira de son sac à main son petit carnet de numéros de téléphone et composa sans réfléchir le numéro que lui avait laissé Sarah.

Lyne Lachance, la mère de la jeune fille, fut brutalement tirée du sommeil en pleine nuit.

— A… allô ? dit-elle d'une voix enrouée et endormie.

Madame Popescu réalisa qu'elle avait encore une fois oublié de tenir compte du décalage horaire. Elle avait réveillé la mère adoptive de Sarah. Sans dire un mot, le souffle coupé, la gouvernante raccrocha promptement. Somnolente, Lyne fit de même et se rendormit rapidement.

— Que je suis bête! s'écria la gouvernante.

— C'est normal que vous ayez hâte d'avoir de leurs nouvelles, dit monsieur Morneau. Ne vous autoflagellez pas comme ça.

Les paroles de son ami apaisèrent légèrement madame Popescu qui inspira profondément et résolut de contempler le paysage au lieu du cellulaire pour le reste du voyage.

Dans la capitale roumaine, madame Popescu revit avec nostalgie le quartier modeste de son enfance. C'est là qu'elle avait grandi, qu'elle avait pris soin de ses petites sœurs et de ses petits frères quand sa mère était tombée malade. Maintenant, ils étaient tous dispersés dans le monde. Oleana était la seule qui n'avait jamais quitté le territoire roumain.

Quelques minutes plus tard, les deux voyageurs atteignirent le centre-ville plus cossu, là où les grands hôtels, les restaurants gastronomiques et les boutiques haut de gamme avaient pignon sur rue. Madame Popescu réalisa qu'elle n'avait pas mis les pieds dans ce coin-là depuis plus de trois ans. Oh, comme les rues avaient changé! Plusieurs nouveaux commerces, des plus grands aux plus petits, attiraient son œil.

Finalement, Jean-Jacques Morneau gara sa voiture devant sa destination. Il allait présenter madame Popescu à son grand ami, Florent Larouche, le chef propriétaire du bistro français La Louche de Larouche. Les deux hommes se connaissaient depuis leurs études à l'institut culinaire. C'était le chef Morneau qui avait convaincu son ami de venir ouvrir un resto français dans la capitale roumaine. Jean-Jacques avait beaucoup parlé d'Oleana à son confrère, et ce dernier savait qu'il devait être discret. Il ne pouvait pas faire de petites allusions coquines laissant sous-entendre que son ami était amoureux.

— C'est vraiment joli! s'exclama madame Popescu en admirant la devanture du bistro.

— C'est relativement nouveau. Florent s'est installé il y a… presque cinq ans maintenant.

Cette affirmation ne fit que confirmer à Oleana qu'elle ne sortait pas assez.

— Vous me disiez que nous pourrions écrire aux enfants à partir d'ici?

Décidément, quand madame Popescu avait une idée dans la tête, elle ne lâchait pas facilement prise!

— Je vous l'ai promis. Et chose promise, chose due…

Madame Popescu était déjà sortie de la voiture et trépignait devant la porte comme une écolière attendant la cloche de la récréation. Monsieur Morneau s'empressa de quitter le véhicule et de venir la rejoindre sur le trottoir. Le chef Larouche ouvrit la porte du bistro et lança:

— Jean-Jacques! Quelle belle surprise!

Monsieur Morneau regarda son ami d'un air interloqué.

— Ne m'attendiez-vous pas? Je vous avais pourtant…

— Mais oui, mais oui, je blaguais, voyons! Je suis si heureux de vous accueillir. Entrez, entrez!

Après les présentations d'usage, le grand chef maigrichon au nez aquilin et à la tête rasée – l'antithèse en tout point de monsieur Morneau – emmena ses invités dans son bureau. Madame Popescu, avec l'aide de son ami, put enfin apprendre comment envoyer un courrier électronique.

— Et lorsque vous avez terminé, vous cliquez ici.

— Cliquez?

— Euh… oui. Avec la souris.

Horrifiée, madame Popescu se mit à agiter la tête comme une girouette, regardant partout.

— Une souris? Dans un restaurant? Où ça? Où ça? Je déteste les souris! Tuez-la! Tuez-la!

Monsieur Morneau rigola ferme.

— Il était grandement temps que je vous initie aux choses de la vie…

Indignée, madame Popescu regarda monsieur Morneau.

— … moderne, je veux dire. La vie… moderne. Les… nouvelles technologies.

— Ah… oui. D'accord.

Patiemment et en tentant de ne pas infantiliser madame Popescu qui, après tout, était une femme intelligente et vive d'esprit, Jean-Jacques Morneau expliqua les rudiments de l'ordinateur personnel à son amie en lui montrant chacune des fonctions de base.

— Maintenant que le message pour Sarah est parti, dit-il enfin, voulez-vous écrire à Elizabeth ?

— Oui.

Madame Popescu soupira, un peu découragée. Elle avait appris le doigté pour taper sur une machine à écrire lorsqu'elle avait suivi un cours de secrétariat vers la fin de son adolescence, mais… tout cela était bien loin maintenant. Elle avait l'impression d'avoir tout oublié.

— Vous savez, vous n'êtes pas obligée de recommencer à zéro pour écrire à Elizabeth, indiqua monsieur Morneau. Vous pouvez copier-coller le message que vous avez envoyé à Sarah.

— Copier-coller ?

Madame Popescu eut des images de feuilles gribouillées, de paires de ciseaux, de ruban adhésif et de colle blanche.

— Laissez-moi vous montrer.

Dans le temps de le dire, madame Popescu avait écrit aux trois enfants du comte Dracula en personnalisant chacun des messages.

— Ah, merci, Jean-Jacques! Vous êtes formidable! dit-elle en sautant au cou de son ami et en l'embrassant chaleureusement avant de l'enlacer avec reconnaissance.

Bien qu'il fût très surpris par ce débordement émotif de la gouvernante, Jean-Jacques Morneau en profita pleinement au cas où ce serait la seule et unique fois que madame Popescu l'embrasserait. Il voulait garder en mémoire le goût du rouge à lèvres de son amour sur les siennes, l'odeur de son parfum, de son shampoing, la sensation de ses bras autour de son corps… Un petit goût de paradis!

Aussi rapidement qu'elle lui avait sauté au cou, madame Popescu relâcha son étreinte et se retourna vers l'écran d'ordinateur.

— Et puis? Est-ce qu'ils m'ont répondu?

Abasourdi, monsieur Morneau éclata de rire.

— Chère Oleana! Vous me surprendrez toujours!

— Pourquoi?

— Euh… il faut leur donner le temps de recevoir votre message, tout de même!

Déçue, madame Popescu s'exclama:

— Quoi? Ils ne l'ont pas reçu encore? Je croyais que vous m'aviez dit que c'était plus rapide que la poste, ces trucs-là!

Encore une fois, monsieur Morneau rigola. Il expliqua calmement à son amie que les messages avaient sans doute été reçus… dans la boîte de réception des comptes des enfants. Mais il fallait ensuite qu'ils les récupèrent, qu'ils les lisent, qu'ils prennent le temps d'y répondre. L'expéditeur devait user d'un peu de patience, quand même!

— La patience, encore! La patience me rend impatiente, bon!

Monsieur Morneau ne put s'empêcher d'éclater de rire.

CHAPITRE 3

New York, 21 octobre

Si Milos avait été en train de boire au moment où la question de mamie Loulou avait atteint ses oreilles, il aurait assurément recraché énergiquement sa gorgée en un impressionnant geyser horizontal comme dans un film de Louis de Funès ou de Jerry Lewis. Heureusement pour les gens qui l'entouraient sous la marquise du complexe Chelsea Cinemas, il avait la bouche vide! Il se contenta donc plutôt de balbutier :

— Euh… Cassandra et moi avons… déjà… eu une relation, mais… nous ne sommes que des… des amis maintenant. Nous fréquentons tous les deux l'Academy… ensemble… parfois dans des cours.

Milos fronça les sourcils en réalisant que sa dernière phrase n'était pas d'une grande cohérence! Il rougit aussi, ce qui donna une couleur spéciale à son teint pâle. Comme personne n'ajoutait quoi que ce soit, le jeune vampire se sentit obligé de se justifier :

— Océane est au courant que j'ai eu d'autres amoureuses. Je voyais plusieurs filles à la fois, mais… maintenant, c'est derrière moi. Je me suis aperçu qu'Océane était en train de changer ma perception des… relations personnelles et… j'ai envie d'avoir une relation exclusive avec elle.

Ce fut au tour d'Elizabeth de froncer les sourcils pendant que Rick regardait son beau-frère avec admiration et envie.

— Tu as quand même une relation… particulière avec Cassandra, dit l'adolescente en pesant ses mots.

Sarah jeta un regard intrigué à Louise. Celle-ci lui fit signe qu'elle ne comprenait pas non plus.

Mal à l'aise, Milos résolut de détourner le cours de la conversation.

— Si nous allions nous promener dans Central Park? C'est tellement beau et mystérieux la nuit.

L'enthousiasme de Rick, d'Elizabeth et de Louise se manifesta sur-le-champ, mais Sarah protesta:

— Central Park la nuit? Mais voyons! C'est beaucoup trop dangereux, non? s'écria-t-elle en balayant tous les autres du regard, cherchant à comprendre leur engouement pour cette idée insensée.

Maintenant tous vampires, Rick, Louise, Elizabeth et Milos ne craignaient rien de la nuit. Ils réalisèrent que Sarah n'avait pas encore saisi que Louise n'était pas la seule à avoir subi la transformation et à être entrée dans la cohorte.

Milos et Elizabeth éprouvèrent un grand malaise. Comment Sarah allait-elle réagir lorsqu'elle se rendrait compte que son frère et sa sœur étaient passés de l'autre côté, qu'ils avaient déjà commencé à accomplir la mission que leur avait confiée leur père ? Devaient-ils le lui dire simplement et franchement ou devaient-ils la laisser deviner en lui donnant des indices de moins en moins subtils ? Il n'existait pas de manuel du parfait petit vampire et encore moins de chapitre intitulé « Comment dévoiler aux membres de votre famille que vous êtes devenu un enfant de la nuit » !

Elizabeth brisa le silence.

— Il n'y aura pas de danger, Sarah. Nous serons cinq ! Personne n'osera nous attaquer si nous restons en groupe.

Rick renchérit :

— Si tu es comme ta sœur, tu as sans doute toujours aimé la nuit…

Elizabeth reprit la parole, en affichant un air de connivence :

— Sarah est une spécialiste des nuits blanches. Hein, petite sœur ?

Sarah ne put s'empêcher de sourire en se rappelant la nuit mémorable qu'elle avait passée avec sa sœur au Golden Tulip Hotel de Bucarest quelques jours plus tôt.

— Mais ça, ce n'était pas pareil ! Nous étions en sécurité, dans une chambre d'hôtel. Pas dans une jungle urbaine !

— Tu sais bien que si c'était dangereux, intervint Loulou, je n'accepterais pas d'y aller, ma chérie.

Elizabeth a raison : en nombre, nous n'avons sûrement rien à craindre. Je n'y irais pas seule…

Sarah jeta un regard incrédule à sa grand-mère :

— Même maintenant que tu es un vampire ? Voyons, mamie ! Tu n'as plus peur de quoi que ce soit, c'est certain. Maintenant, c'est toi qui fais peur.

Les yeux de tous les autres s'écarquillèrent et Loulou pouffa de rire.

— Merci ! dit-elle ironiquement.

— Tu sais ce que je veux dire ! Tu n'as aucune raison d'avoir peur parce que tu as des pouvoirs pour te défendre. Tu es un vampire, mais pas nous !

Milos et Elizabeth se regardèrent encore, mal à l'aise. Cette fois, Louise et Rick éprouvèrent eux aussi un sentiment de gêne.

Rapidement, Loulou prit le contrôle.

— Justement ! Je vous défendrai si nécessaire. Allons-y ! Je meurs de voir Central Park la nuit.

Le quintette se mit aussitôt en route vers le plus célèbre parc urbain de la planète.

†

En arrivant devant Central Park, Milos et Elizabeth tirèrent machinalement leur téléphone cellulaire de leur poche en même temps comme s'ils s'étaient consultés. Ils se regardèrent, interloqués, et sourirent. Ils avaient eu la même idée : vérifier s'ils avaient des messages.

Quelqu'un les avait appelés.

— En plein milieu de la nuit? s'étonna Sarah.

Elizabeth et Milos s'exclamèrent en même temps «C'est madame Popescu!» en entendant la voix de la gouvernante. Ils écoutèrent le message que leur avait laissé la rondelette bonne femme et sourirent tendrement.

— Il faudra la rappeler demain, convinrent le frère et la sœur après avoir supprimé les messages et éteint leurs téléphones.

Jetant ensuite un regard à leurs montres respectives, ils rectifièrent:

— Ou plus tard aujourd'hui!

Louise fut touchée par ce respect de leurs aînés que témoignaient Milos et Elizabeth.

— Je me demande si elle m'a appelée, moi aussi?… s'interrogea Sarah. Oh mon Dieu! J'espère qu'elle ne m'a pas appelée chez mes parents. Qu'est-ce que je vais leur dire? Nous avons tellement tout fait pour ne pas qu'ils sachent que Dracula t'avait vampirisée, mamie Loulou. Tu imagines s'ils apprenaient par madame Popescu que je suis la fille du comte?

Sarah frissonna avant d'enchaîner.

— Parlant de ce salaud…

Les yeux de Milos et d'Elizabeth s'écarquillèrent. Sarah ne pesait plus ses mots. Loulou était triste de voir cette amertume naissante chez sa petite-fille.

— Ben quoi? C'est vraiment un salaud, qu'est-ce que vous en pensez? Il a vampirisé Loulou avant même que j'aie la chance de la revoir. Ce n'était pas ça, l'entente. Il devait nous laisser le champ libre pour que nous devenions tous les trois des vampires et fassions entrer par la suite six personnes chacun dans la cohorte. Non?

— Six personnes que nous aimons… précisa Milos sans que personne y prête attention.

— Et là, qu'est-ce qu'il fait à la première occasion? Il se transforme en vieillard et va séduire ma grand-mère directement sur son lit d'hôpital.

Les pensées de Rick, d'Elizabeth et de Milos furent envahies d'images limpides et évocatrices.

— C'est une façon de parler! s'impatienta Sarah. Il a fait de la fausse représentation, du vol d'identité… et il a changé la vie de ma grand-mère pour toujours!

— Je te rappelle, ma chérie, qu'il a changé ma vie pour le mieux, précisa Loulou.

Sarah poussa un soupir d'exaspération.

— Ça n'a pas d'importance! Il n'avait pas le droit!

Les yeux de Sarah s'emplirent de larmes. La trahison qu'elle ressentait ne s'était visiblement pas estompée ces derniers jours.

— Je le déteste!

46

Loulou regarda tristement Elizabeth et Milos. Ce dernier décida d'aller à la pêche pour sonder les sentiments de sa petite sœur.

— Tu détestes tous les vampires?

Agitée et agacée par la question, Sarah cracha :

— À cause de ce que ce salaud-là a fait, je ne peux même pas détester tous les vampires. Je n'arrêterai quand même pas d'aimer Loulou à cause de lui, hein?

Milos, Elizabeth et Louise se regardèrent, rassurés. Ils comprenaient entièrement la frustration que ressentait Sarah. Loulou avait aussi compris dès leur première rencontre que Rick, Milos et Elizabeth étaient déjà tous entrés dans la cohorte. Comme quoi, entre vampires, on se reconnaissait, on se détectait…

Ce fut au tour d'Elizabeth de sonder les humeurs de sa petite sœur tout en tentant de l'apaiser.

— Je suis d'accord qu'il a agi hypocritement. Mais maintenant que tu vois tout le bien que ça fait à Loulou d'être vampire, ça ne te donne pas le goût, toi aussi, de…

Sarah coupa sèchement sa sœur.

— Oh que non! Pourquoi je le ferais maintenant? Loulou a la vie éternelle. Elle n'a plus besoin de l'argent de Dracula. Je suis libre.

Milos, Elizabeth et Louise se regardèrent, la mort dans l'âme.

— Au contraire, je crois que nous ne serons jamais libérés de lui.

Sarah regarda son frère avec des points d'interrogation dans les yeux.

— Je ne sais pas pourquoi tu dis ça, Milos. Si nous nous tenons ensemble et que nous le combattons, tu ne penses pas que nous pourrons le contrecarrer?

Elizabeth et Milos échangèrent un regard triste. Sarah força un sourire pour appuyer ses arguments.

— Moi, j'ai confiance en nous, enchaîna-t-elle. Je pense qu'ensemble nous pouvons tout faire. C'est sûr que s'il n'existait pas nous ne serions pas là… Je n'aurais pas de grand frère ni de grande sœur. Et maintenant que je vous connais, maintenant que je vous aime, je ne voudrais plus jamais revenir en arrière. Mais attention! Ça ne veut pas dire que je veux le suivre, lui. Non. Je n'ai pas changé d'idée là-dessus. Je trouve que nous devrions tout faire pour ne pas tomber dans ses pièges. Et je voulais vous dire… Vous savez, l'argent, ce n'est pas tout. Et vous deux, vous êtes déjà à l'aise financièrement, grâce à vos parents. Vous n'avez pas besoin de devenir des vampires vous non plus.

Milos et Elizabeth se regardèrent, de plus en plus mal à l'aise, émus par les belles paroles de Sarah.

Loulou se sentit obligée d'intervenir. Tout cela avait assez duré. Elle prit délicatement Sarah par les épaules pour la tourner vers elle et caressa doucement le visage de sa petite-fille.

— Ma chérie, tu n'as pas compris, je pense. Ton frère et ta sœur sont déjà entrés dans la cohorte. Ils sont *déjà* des vampires… comme moi.

Rick, Elizabeth et Milos retinrent leur souffle.

L'information mit quelques secondes à atteindre le cerveau de Sarah. La jeune fille fronça les sourcils, intriguée et confuse. Lorsqu'elle se tourna vers Milos et Elizabeth, le premier esquissa un sourire timide et la deuxième baissa les yeux.

Sarah sentit sa tête tourner ; son souffle devint court. Elle planta son regard dans celui de mamie Loulou à qui elle avait toujours fait aveuglément confiance. Elle comprit que sa grand-mère lui disait la vérité. Elle ne pouvait pas croire à une mauvaise blague ou à une manigance pour la convaincre d'entrer elle aussi dans la cohorte. Encore une fois, ses yeux s'emplirent de larmes.

Elle se tourna vers son frère et sa sœur.

— Je pensais que… vous alliez m'attendre. Je pensais que c'était ça qu'on s'était dit… que c'était ça, l'entente…

Elle chercha désespérément des explications dans les yeux de Milos, dans ceux d'Elizabeth, mais elle n'y trouva rien. Elle remarqua pour la première fois leur teint plus pâle, leurs pupilles légèrement plus grandes… Est-ce que leurs yeux étaient toujours de la même couleur ? Était-ce le trop-plein d'émotions qui l'envahissait qui lui faisait imaginer toutes sortes de choses ?

— VOUS NE DITES RIEN ? cria-t-elle.

Penauds, Elizabeth et Milos savaient que toute parole était inutile. Rick se sentait de trop et Louise se demandait s'il lui fallait regretter d'avoir tout dévoilé à Sarah.

La jeune fille se sentait doublement, et même triplement, trahie. Sans qu'elle en ait véritablement conscience, elle se mit à reculer, à s'éloigner de ceux qui lui avaient menti – ou à tout le moins caché la vérité. Après quelques pas, son talon s'accrocha dans une petite branche au sol et Sarah faillit trébucher. Cette embûche la tira de sa torpeur et elle comprit qu'il ne lui restait plus qu'une chose à faire : fuir. S'enfuir sans réfléchir. Partir aussi loin qu'elle le pouvait. Se perdre dans ce parc immense. Aveuglée par les larmes, Sarah s'élança vers le premier sentier sinueux qui s'offrait à elle.

— SARAH !

— Sarah ! Attends !

— On ne peut pas la laisser partir comme ça ! dit Milos, impuissant.

— Je la connais assez pour savoir qu'elle a besoin d'être seule en ce moment, répondit Louise. Quand elle était petite, elle faisait parfois des « fausses fugues ». Elle se mettait en colère, elle avait l'impression que tout le monde s'était ligué contre elle, alors elle partait. Pour ménager son orgueil, je la suivais de loin en veillant sur elle. Elle ne savait pas que j'étais là… et après un moment elle revenait d'elle-même.

Elizabeth regarda Louise avec étonnement.

— Oui, mais ici, c'est Central Park, c'est New York, une ville qu'elle ne connaît pas.

La grand-mère se voulut rassurante.

— Ne vous inquiétez pas. Je ne la perdrai pas de vue. Vous le savez, grâce à nos pouvoirs, à nos sens plus aiguisés, nous pouvons maintenant repérer les gens beaucoup plus facilement…

Milos et Elizabeth acquiescèrent. Malgré tout, la grande sœur de Sarah ressentait une vive douleur à la poitrine.

— Mais elle nous déteste maintenant, souffla-t-elle, bouleversée.

— Mais non, voyons ! protesta Louise. Elle ne pense pas vraiment ce qu'elle dit quand elle est dans cet état-là. Je vais la rattraper et tout finira par rentrer dans l'ordre. Ne vous en faites pas.

Louise se tourna pour partir à la recherche de sa petite-fille.

— Attendez, Louise !

Elizabeth se tourna vers Rick.

— Tu as ton cellulaire avec toi, mon amour ?

Le jeune homme acquiesça.

— Excellent.

Elizabeth sortit son téléphone de sa poche et le remit à Louise.

— Dès que vous aurez trouvé Sarah, téléphonez-nous. Le numéro de Rick est programmé dans mon téléphone.

Louise fut touchée par l'inquiétude d'Elizabeth à l'égard de sa petite sœur et impressionnée par son ingéniosité et sa vivacité d'esprit.

— Mais comment pourrai-je te remettre ton téléphone?

Milos intervint rapidement.

— On se donne rendez-vous pour le petit-déjeuner chez Ellen's Stardust Diner pour onze heures, d'accord? Le restaurant est sur Broadway, au coin de la 51e Rue, tout près de Times Square.

Louise sourit.

— J'essayerai de convaincre Sarah d'y venir… Sinon, je trouverai une autre façon de te remettre ton cellulaire, Elizabeth. Merci.

Loulou partit alors à la recherche de Sarah, laissant les trois autres en plan.

— Peut-être devrions-nous aller dormir si nous voulons être en forme pour le petit-déjeuner tout à l'heure?

Elizabeth se tourna vers Milos, interloquée.

— Tu es fou? Je n'arriverai jamais à dormir tant que je ne saurai pas que Sarah est en sécurité.

Milos ne put s'empêcher d'avouer que c'était la même chose pour lui.

CHAPITRE 4

New York, 21 octobre

Océane adorait marcher sur la Cinquième Avenue, même aux petites heures du matin. Dans le bas de la ville, en direction de son appartement de Greenwich Village, on ne trouvait pas, comme dans le quartier Midtown, autant de vitrines géantes des boutiques les plus chics du monde, de magasins phares des plus grandes chaînes de commerce au détail, de devantures des bijouteries les plus luxueuses et les plus clinquantes de la civilisation occidentale, de grands musées ou de gratte-ciel devenus monuments comme l'Empire State Building et la Trump Tower... mais Océane s'y sentait en sécurité.

La Cinquième Avenue était une des artères les plus étendues de New York. Ses trottoirs étaient démesurément larges, ce qui ne paraissait pas en plein jour étant donné la densité de la population qui les occupait, et l'éclairage y était abondant, ce qui s'avérait rassurant pour quiconque devait marcher seul dans la mégalopole après le coucher du soleil. C'est pourquoi Océane faisait parfois un détour pour rejoindre la Cinquième Avenue lorsqu'elle rentrait chez elle, évitant ainsi les petites rues plus sombres et moins achalandées.

La jeune Française marchait néanmoins comme une New-Yorkaise de souche. À sa première visite dans la Big Apple cinq ans plus tôt, son copain de l'époque, Bryan O'Donnell – un Irlandais qu'elle avait rencontré à Paris et qu'elle avait suivi aux États-Unis lorsqu'il était venu étudier au célèbre Massachussetts Institute of Technology, le MIT, près de Boston –, lui avait rapidement fait comprendre qu'il ne fallait jamais marcher en touriste à New York. «Ici, il faut toujours que tu aies l'air de savoir où tu t'en vas, avait-il déclaré. Même quand tu descends de l'avion, du train ou de l'autocar avec tes bagages, tu dois te comporter comme une New-Yorkaise qui *rentre* à la maison. Sinon, tous les *hustlers* te sauteront dessus pour t'offrir mille et un services. Certains t'offriront de porter tes bagages… et les porteront jusque chez eux!»

Océane avait donc toujours été vigilante et prudente dans ses déplacements dans les grandes villes. Elle avait cependant rapidement mis les choses en perspective lorsqu'elle avait découvert le petit côté paranoïde assez développé de Bryan. Même lorsqu'il se rendait sur le campus du MIT, chaque matin, le jeune homme collait son portefeuille sous son pantalon avec du ruban adhésif à double face, directement sur sa peau, sur l'extérieur de sa cuisse droite, parce qu'il craignait de se faire voler. Bryan rasait même régulièrement cette partie de son anatomie pour éviter de s'arracher des poils tous les soirs lorsqu'il décollait son portefeuille!

Malgré toutes les histoires abracadabrantes qu'elle avait entendues sur New York et sur l'Amérique en général, Océane adorait Manhattan et y était rapidement revenue lorsqu'elle avait trouvé Bryan se caressant devant une image figée de la princesse du jeu vidéo Mario Bros!

— Ce n'est pas ce que tu penses! avait-il crié en s'élançant dans l'appartement à la poursuite d'Océane, évitant – de justesse – de trébucher à cause de son slip descendu sur ses mollets.

«J'espère sincèrement pour toi que ce n'est pas ce que je pense!» avaient été les derniers mots qu'Océane avait dits à Bryan avant de faire sa valise et de prendre le premier autobus de Boston vers New York.

Pendant le voyage, elle s'était dit qu'elle ne pourrait pas rencontrer de gens plus étranges que Bryan, même dans la jungle new-yorkaise. Et jusqu'à maintenant, elle avait eu raison.

— Auriez-vous un peu de monnaie, mademoiselle?

Océane se figea. Les quêteurs qui sollicitaient directement de l'argent des passants étaient de plus en plus rares à New York et leur nombre se réduisait considérablement au milieu de la nuit où la quête, en principe, devait s'avérer beaucoup moins fructueuse.

Elle sourit au vieil homme au visage barbouillé, au chapeau cabossé et aux vêtements beaucoup trop chauds pour cette nuit d'automne clémente. Elle fouilla dans ses poches et offrit au mendiant toute la monnaie qu'elle avait.

— Merci, mademoiselle, dit-il gentiment, son regard franc tourné vers Océane. Vous êtes bien généreuse. Bonne nuit!

Océane sourit une fois de plus à l'individu et reprit son chemin, toujours émue de voir combien de gens n'arrivaient pas à se loger, même modestement. Comme toutes les fois où elle croisait un itinérant, peu importe dans quelle ville ou dans quel contexte, elle se mit à s'imaginer le parcours de la vie de cet homme qui lui avait demandé de l'argent. Comme future scénariste, Océane savait que tout ce qu'elle observait et tout ce qui se présentait à elle pouvaient devenir matière à scénario. Elle fut interrompue dans son rêve éveillé par la voix éraillée de l'homme qui montait derrière elle.

— Milos ne connaît pas sa chance d'avoir rencontré une jeune femme aussi merveilleuse que vous.

Océane s'arrêta net. Elle avait sûrement mal compris, mal entendu, mal… mal au cœur.

— Pardon?

— Je disais que vous êtes une jeune femme merveilleuse. Merci!

Océane hésita un moment. Peut-être avait-elle rêvé? Était-ce la représentation du *Rocky Horror Picture Show* qui la rendait un peu trop imaginative?

— Vous êtes gentil, se contenta-t-elle de dire avant de reprendre son chemin, préférant ignorer ce qu'elle croyait avoir imaginé.

Quelques coins de rue plus loin, Océane secoua la tête et se raisonna.

— Tu manques sérieusement de sommeil, ma fille, décréta-t-elle à voix haute. Une bonne nuit à dormir dans ton propre lit te fera le plus grand bien.

Elle ricana un peu, question de chasser les troublantes impressions qu'elle avait eues, et entra enfin dans Greenwich Village, le quartier qu'elle habitait depuis son arrivée à New York. Sans même le réaliser, elle avait accéléré le pas ; elle se demandait maintenant pourquoi elle n'avait pas tout simplement hélé un taxi.

— En avant l'exercice ! grommela-t-elle, encore à voix haute.

Lorsqu'elle arriva devant son immeuble, rue Bleecker, Océane n'en crut pas ses yeux. Un autre itinérant – qui ressemblait étrangement au premier – semblait l'attendre.

— Auriez-vous un peu de monnaie, mademoiselle ?

Océane frissonna. Les mêmes mots, la même voix, la même apparence. « Non, non, non. Ça ne peut pas être le même homme. Sois logique, Océane, voyons ! »

Calmement, elle sourit au vagabond et lui répondit poliment :

— J'ai déjà donné toute ma monnaie. Je suis désolée.

— Ah, dommage ! Merci, mademoiselle. Vous êtes bien généreuse. Bonne nuit !

Encore les mêmes mots. Pourtant, cette fois, elle n'avait rien donné. Troublée et intriguée à la fois, Océane chercha le regard de l'homme. Il lui fallait aller au fond des choses.

— Pourquoi me remerciez-vous? Je ne vous ai rien donné.

Le vieil itinérant eut un petit rire qui fit picoter sa gorge. Il toussa comme un fumeur invétéré.

— Vous avez pris la peine de vous arrêter pour me parler. C'est rare… et très gentil, surtout à une heure si tardive.

Océane se força à sourire. Cet homme était identique en tout point à l'autre qu'elle avait croisé sur la Cinquième Avenue. Comment cela était-il possible? Le hasard était un peu trop étrange. Mais ce ne pouvait être autre chose qu'un hasard, non? Après tout, un homme de cet âge n'aurait pas pu la suivre, elle qui marchait d'un pas décidé, assuré… rapide! Non. Il fallait que ce soit un autre individu. Un sosie? Un jumeau? La coïncidence était quand même curieuse!

Néanmoins, Océane décida qu'il serait préférable de ne pas rentrer chez elle tout de suite. Après tout, si l'itinérant la voyait pénétrer dans l'immeuble, il devinerait sans doute qu'elle habitait à cet endroit. Il deviendrait alors facile pour lui de la harceler, de suivre ses moindres faits et gestes. «On ne sait jamais avec ces gens-là!» se dit-elle dans sa tête. «Ces gens-là? se gronda-t-elle. Depuis quand as-tu des préjugés du genre, toi?»

58

— Bonne soirée! envoya-t-elle enfin à son interlocuteur avant de reprendre son chemin, sans savoir vraiment où elle s'en allait.

D'un pas aussi assuré que celui qui l'avait menée jusqu'à son immeuble, Océane marcha jusqu'au coin de la rue en réfléchissant à sa prochaine destination. Elle irait prendre un café au Dunkin Donuts de Thompson Street, non loin de là, en attendant que le sans-abri décide d'aller quêter ailleurs. C'était d'ailleurs très bizarre qu'il se soit installé devant l'édifice où habitait Océane parce que ce n'était pas un trottoir où passaient beaucoup de «clients» potentiels.

Avant de tourner le coin de la rue, Océane jeta un œil au vagabond. Rêvait-elle ou bien ce dernier la suivait vraiment des yeux? Elle détourna rapidement le regard pour ne pas que le vieil homme soupçonne qu'elle le trouvait louche!

Quelques minutes plus tard, elle se trouvait assise devant une tasse de café chaud dont elle se servit surtout pour réchauffer ses doigts, glacés après les troublantes rencontres qu'elle venait de faire.

«Impossible que ce soit le même itinérant, se répéta Océane dans sa tête. Mais les deux hommes se ressemblaient tellement!»

Elle prit une gorgée de la boisson brûlante qu'elle sentit descendre jusque dans son estomac. La jeune femme s'interrogea à savoir si elle ne serait pas mieux de téléphoner à Milos pour lui demander de venir la rejoindre.

« Mais voyons ! Il est en pleines retrouvailles avec ses sœurs. Ce n'est pas le temps de jouer à la demoiselle en détresse. Tu es une fille indépendante et sûre de toi. Tu n'as pas besoin d'un gars pour te protéger. »

Après avoir inspiré profondément pour se donner du courage, Océane avala encore un peu de café.

« Peut-être pourrais-je seulement aller dormir chez lui… ? » se dit-elle avant de se gronder sévèrement. « Franchement, ma vieille ! Tu ne vas pas laisser un itinérant te chasser de ton propre logis, quand même ? Imagine : un sans-abri te pousserait à l'itinérance ! Complètement ridicule ! »

Océane regarda dehors avant de jeter un œil à sa montre. Elle se résigna à prendre son courage à deux mains et à rentrer au bercail. Elle but une dernière gorgée de café avant de s'apprêter à se lever.

— Je peux vous offrir un autre café ? dit une voix masculine tout près d'elle.

Océane se tourna et aperçut un vieil homme assis à la table d'à côté.

— Vous avez le temps de causer un brin avant de partir ?

Le regard interloqué d'Océane se figea sur le vieillard attablé. Il ressemblait aux deux mendiants qu'elle avait rencontrés plus tôt, mais il était plus propre, plus soigné, comme s'il avait fait nettoyer ses vêtements, s'était douché et avait soigneusement lissé ses cheveux.

Comme la jeune femme demeurait coite, l'homme rit pour détendre l'atmosphère.

— Vous me regardez comme si j'étais un fantôme… ou un vampire !

Océane ne bougea pas. Elle songea : « Si vous étiez un fantôme ou un vampire, je n'aurais rien à craindre parce que ces créatures sont fictives ! J'ai beaucoup plus peur que vous soyez un maniaque armé. »

En effet, plus elle le regardait, plus elle se disait qu'il aurait fallu qu'il soit armé pour lui faire du mal parce qu'il semblait bien frêle et inoffensif. Les pattes d'oie au coin des yeux verts doux et suppliants laissaient deviner un âge vénérable.

— Je comprends vos appréhensions et vos doutes, mais rassurez-vous. Je ne suis pas dangereux.

Océane sortit de sa torpeur. Avait-il lu dans ses pensées ? Elle répondit avec une ironie qui frôlait l'impolitesse :

— Si vous le dites, ce doit être vrai, non ?

Le vieil homme sourit.

— Touché ! Nous ne nous connaissons pas. Je pourrais être… n'importe qui, n'importe quoi…

— Pourriez-vous aussi être vos deux sosies malpropres qui m'ont demandé de l'argent plus tôt à plus d'un kilomètre l'un de l'autre ?

Comme un gamin qu'on aurait pris la main dans le sac, l'étranger baissa les yeux avec un sourire espiègle.

— Vous m'avez reconnu? Il faudra que je travaille mes déguisements.

— À qui le dites-vous! rétorqua Océane comme si c'était là la chose la plus importante dans cette étrange affaire.

Se ressaisissant, elle attaqua de plus belle:

— Qui êtes-vous et que me voulez-vous? On ne suit pas une femme dans les rues de New York la nuit, monsieur! Si vous ne vous identifiez pas tout de suite, j'appelle la police.

L'homme se leva et s'approcha d'Océane. Quand il vint pour poser sa main sur l'épaule de la jeune femme, celle-ci recula d'un pas. Elle pointa un doigt menaçant vers l'inconnu.

— Si vous approchez encore, je crie. Dites-moi tout de suite qui vous êtes ou…

— Rufus Cartwright, mademoiselle Limoges. Je suis… un ami de Milos. En fait, je suis un employé de son père.

Océane écarquilla les yeux. Elle se passa la réflexion suivante: «C'est vrai qu'il ferait un bon croque-mort!»

— Vous travaillez dans un des salons funéraires de monsieur Menzel en République tchèque? Que faites-vous aux États-Unis? Vous avez affaire à Milos?

Monsieur Cartwright considéra un moment la jeune femme. Elle ne savait manifestement rien de la vie parallèle de Milos, qui n'avait été dévoilée que quelques jours plus tôt au jeune homme.

— En fait, c'est compliqué. Je ne travaille pas pour le père *adoptif* de Milos, mais plutôt pour son père *biologique*. Milos a appris l'existence de celui-ci il y a seulement quelques jours.

La tête d'Océane se mit à tourner. Monsieur Cartwright remarqua tout de suite l'effet que cette nouvelle avait sur elle.

— Si vous me permettez de vous offrir un autre café, je vous raconterai tout.

Océane acquiesça, complètement abasourdie. Un autre café? Pourquoi pas? Après tout, elle n'allait sûrement pas dormir de la nuit…

CHAPITRE 5

New York, 21 octobre

Après avoir pris quelques verres avec la troupe du *Picture Show*, Matthew et Kevin retournèrent au petit studio de ce dernier dans SoHo, le quartier des artistes de New York. Le jeune homme de vingt-quatre ans, qui travaillait comme *segment producer* au *Late Show with David Letterman* depuis un an – après un stage qui lui avait valu des éloges de toute l'équipe de la mythique émission du réseau CBS –, occupait ce logement depuis qu'il était arrivé à New York.

Arriviste et opportuniste dans ce que ces mots ont de plus noble, Kevin savait se faire aimer et se placer les pieds. Grâce à l'amitié de son père avec un des producteurs exécutifs de l'émission, il était entré au *Late Show* après une audition désastreuse à l'Actors Studio qui avait anéanti – à tout jamais? – son rêve de devenir acteur professionnel. Il avait profité intelligemment de cette occasion pour faire ses preuves. Depuis qu'il incarnait Riff Raff devant l'écran du *Rocky Horror Picture Show* au Chelsea Cinemas tous les vendredi et samedi soir, il comblait aussi son désir d'être sur scène. En plus, c'était dans une production totalement déjantée et irrévéren-cieuse, ce qui lui plaisait bien.

Maintenant qu'il était installé à *Letterman* et qu'il avait fait toutes ses folies de jeunesse… ou presque – il faut dire que New York est une excellente ville pour s'amu-ser, s'étourdir et s'éclater dans l'anonymat quasi complet quand on sait garder la tête sur les épaules, ce que Kevin avait très bien compris –, le jeune homme était prêt à passer à une autre étape de sa vie. Cependant, au contact de Matthew et de Milos, sa réflexion avait été bousculée, déboussolée, pour ne pas dire bousillée.

En refermant la porte de l'appartement avec ses fesses après avoir laissé Matthew entrer, Kevin resta plaqué contre la porte comme s'il voulait séquestrer son amant. Il jeta à ce dernier un sourire espiègle.

— Qu'est-ce que tu as le goût de faire?

Matthew se força à sourire. Kevin décida de faire comme s'il n'avait pas remarqué le manque d'enthou-siasme de Matthew. Il sauta fougueusement sur le jeune homme comme une hyène noire bondit sur un rat palmiste blessé.

Le colocataire de Milos se laissa embrasser et tenta de s'abandonner au désir charnel que Kevin voulait lui transmettre.

Après un moment, l'instigateur s'interrompit, frustré par le manque d'énergie de Matthew. Kevin décida qu'il fallait vider la question avant de poursuivre.

— Qu'est-ce qu'il y a? demanda-t-il simplement.

— Je ne me sens pas chez moi ici.

Du tac au tac, étouffant un petit rire, Kevin lança :

— C'est sûr que tu ne te sens pas chez toi. Tu *n'es pas* chez toi !

Matthew n'avait pas le cœur à rire. Il ne se sentait pas chez lui *physiquement, géographiquement* dans cet appartement, c'est certain, mais la phrase toute simple de Matthew était beaucoup plus profonde, et Kevin n'avait clairement pas compris le sous-texte. Ce dernier se troubla en s'apercevant que sa blague portait à confusion, lui qui souhaitait tant que Matthew prenne une plus grande place dans sa vie, et non pas qu'il s'en sente exclu.

— Excuse-moi. Je… je ne voulais pas te… Je ne sais pas quoi dire. Écoute : je ne sais pas ce que tu as et… si tu ne me parles pas, je ne le saurai jamais.

Matthew réalisa à quel point il se comportait comme un enfant gâté. Il avait pourchassé Kevin et avait même demandé à Milos de l'aider dans sa quête… Et maintenant que Kevin était là, offert à lui sur un plancher de bois franc, il reculait ? En fait, il savait que la situation était plus compliquée… et plus simple à la fois.

— Ce n'est pas toi, le problème, Kevin. C'est moi.

Quelle horrible phrase passe-partout, utilisée à toutes les sauces lorsqu'on était trop peureux pour dire les vraies choses ! Matthew s'en voulut de ne pas être, au minimum, plus original !

Encore une fois, Kevin misa sur l'humour. Tant que Matthew ne lui donnerait pas d'explications pour affronter le problème, il avait l'impression qu'il n'avait pas d'autre choix.

— Je sais que c'est toi, le problème. Moi, je n'ai pas de problème. Regarde !

Sans plus de cérémonie, il baissa son pantalon pour montrer à Matthew à quel point il était prêt à passer à l'action. Matthew ne put s'empêcher de rigoler.

— Bon ! Ça fait du bien de te voir rire !

Matthew reprit rapidement son air sérieux… et Kevin remonta son pantalon.

— J'ai envie d'être avec toi, avoua Matthew, mais avant d'être *vraiment* avec toi, il faut que j'arrête de vouloir être avec quelqu'un d'autre, tu comprends ?

Kevin sourit. Tout était clair maintenant.

— Un amour pas réglé ? Il fallait le dire ! Je connais ça, Matthew. Moi aussi, je sors d'une relation compliquée et…

Matthew sursauta.

— Pour vrai ? Tu ne m'en avais pas parlé !

Kevin rigola.

— Toi non plus, je te ferai remarquer.

Matthew acquiesça, penaud.

— Tu as raison. Je ne pouvais pas t'en parler parce que… c'est… quelqu'un que tu connais.

Kevin sourit. Enfin, on allait passer aux choses sérieuses.

— Milos?

La mâchoire inférieure de Matthew tomba. Kevin avait tout deviné?

— Tu le savais?

— *Come on*, Matthew! Ça ne prend pas un diplôme en psychologie pour s'en rendre compte!

Le cœur de Matthew se mit à battre à tout rompre. Il était si transparent? Tout le monde pouvait lire en lui?

— J'ai senti que même si tu avais vraiment envie d'être avec moi, j'étais un peu… *second best*. Le bouche-trou, tu sais?

Kevin lut une grande culpabilité sur le visage de son amant. Il entreprit aussitôt de rassurer Matthew.

— Je ne veux pas que tu te sentes coupable. Je comprends. Et *second best* derrière Milos, ce n'est quand même pas si mal!

Kevin eut un sourire rassurant et compréhensif qui réchauffa le cœur de Matthew.

— Wow! Je n'avais aucune idée que tu pouvais être si… ouvert… si détaché. Moi, j'ai tendance à être un peu trop possessif, un peu trop… contrôlant.

Kevin éclata de rire.

— Au moins, tu te connais bien !

Matthew sourit et donna une tape à Kevin.

— Je suis réaliste, reprit Kevin sur un ton un peu plus sérieux. Je sais que je n'arrive pas dans ta vie tout au début. C'est normal que tu aies vécu des choses avant moi, que tu en vives encore. Des choses qu'il faut régler avant de se rembarquer corps et âme dans une nouvelle relation. Mais je suis prêt à faire ce chemin avec toi.

Impressionné et touché, Matthew caressa affectueusement les cheveux de Kevin.

— Tu es vraiment formidable, souffla-t-il doucement.

Kevin rougit et contre-attaqua avec humour.

— Mais non ! Je suis seulement beaucoup plus mature que toi, c'est tout !

Matthew feignit de s'offusquer et gifla Kevin mollement. Ce fut au tour de ce dernier de jouer l'insulté. Kevin poussa Matthew, qui tomba à la renverse sur le divan. Avant que celui-ci ne puisse se relever, Kevin sauta sur lui et les nouveaux amoureux se mirent à se tirailler comme des enfants, roulant sur le futon qui servait aussi de lit à l'occupant des lieux. Les jeunes hommes tombèrent sur le plancher de la petite pièce encombrée.

Après quelques minutes de lutte coquine, Kevin laissa Matthew l'épingler au plancher. Ce dernier, tout essoufflé, demanda impulsivement :

— Et toi ? Vas-tu me dire qui est, le gars avec qui tu sors d'une relation compliquée ? Est-ce que c'est quelqu'un du *Picture Show* ?

Tout aussi spontanément, Kevin souffla :

— Ce n'est pas un gars.

Matthew reçut la révélation comme une gifle… puissante, celle-là !

— Quoi ?

Réalisant qu'il était normal que son copain ait cette réaction, Kevin voulut rapidement mettre les choses au clair.

— En fait, c'est un gars… mais surtout une fille…

La tête de Matthew se mit à tourner. Il avait l'impression que Kevin venait de lui frapper l'autre joue avec une force encore plus grande !

— Alors là, je ne comprends plus.

Kevin se redressa, forçant Matthew à le libérer. Les deux jeunes hommes s'appuyèrent côte à côte sur le futon, assis sur le plancher.

— Laisse-moi t'expliquer. Par où commencer ?

Abasourdi, Matthew répliqua :

— Peu importe où ! Commence avant que je perde connaissance !

Kevin caressa la cuisse de Matthew pour le rassurer.

— Mais non ! Ce n'est pas si dramatique que ça… En fait, ça l'a été… mais maintenant ça va mieux.

— De quoi parles-tu? Ne me dis pas que tu étais «atteint» d'hétérosexualité et que maintenant tu es guéri?

Kevin rigola.

— Je ne sais pas si j'en suis guéri encore…

Matthew se leva d'un bond et se mit à faire les cent pas comme s'il avait voulu rembobiner le film de la soirée.

— Quoi? Tu me dis que tu étais amoureux d'une FILLE? Et que ce n'est peut-être pas terminé?

Rapidement, Kevin mit les choses au point.

— Ah, non, non! Avec elle, c'est bien terminé. Ça s'est terminé… ben, pas terminé, mais ça s'est tranquillement effiloché, si je puis dire… quelque temps après que j'ai rencontré… un certain gars. C'est… c'est pour ça que je t'ai dit que ma relation compliquée, c'était un gars, mais surtout une fille.

Matthew, qui ne trouvait pas cette histoire très claire, s'impatienta.

— Alors tu me dis que tu as rencontré un gars et que, quand tu as couché avec lui, tu as compris que tu étais aux hommes?

Kevin hésita.

— Pas exactement.

Matthew n'en pouvait plus. Exaspéré, il éclata:

— Comment, «pas exactement»?!

— Je n'ai pas couché avec le gars. Tu as été mon premier.

Matthew écarquilla les yeux. Le souffle court, il dévisagea Kevin.

— Mon premier *gars*, je veux dire.

Matthew n'en croyait pas ses oreilles.

— Quoi? *Oh, my God!* C'est incroyable!

Amusé, Kevin sourit, ne saisissant pas à quel point il mettait Matthew dans tous ses états.

— J'ai été si bon que ça?

Matthew était au bord de l'hyperventilation.

— Arrête! Cesse de blaguer tout de suite. Ce n'est pas drôle. Tu ne te rends pas compte de ce que tu me dis?

Kevin fronça les sourcils, étonné.

— Quoi? Je te dis toute la vérité. Ce n'est pas ce que tu voulais?

Matthew secoua la tête, étourdi. Que pouvait-il répondre à ça?

— Ce sera tellement plus facile après. Lorsque nous n'aurons plus de secrets. Tu ne trouves pas?

La logique de Kevin n'eut pas l'effet escompté sur Matthew.

— Je ne sais pas. Je ne sais plus. Il me semble que, quand nous avions des secrets, c'était plus simple.

— Plus simple si nous voulions une relation libre et sans attaches, sans exclusivité. Mais… est-ce que j'ai mal compris? Tu ne veux pas une relation stable avec moi?

Matthew était de plus en plus confus. Bien sûr que c'est ce qu'il voulait. Il en avait vécu, lui aussi, des années de sexe à gauche et à droite, dans une multitude de lieux, de contextes, de situations… parfois avec des gars dont il ne connaissait même pas le nom ou la langue maternelle! Heureusement, il avait toujours eu assez de cervelle pour se protéger et voir régulièrement son médecin pour s'assurer qu'il restait en bonne santé. Mais il avait toujours voulu que ces années de galère se terminent par une relation stable avec un gars qu'il aimerait profondément et avec lequel il construirait une vie commune, un projet de vie.

Maintenant que Kevin le mettait devant ce rêve lointain devenu réalité, Matthew était bouche bée.

— Tu ne réponds pas? Ce n'est pas bon signe.

Kevin se leva. Matthew réalisa que son amant interprétait mal son silence.

— Non, non, c'est bon signe!

Kevin regarda Matthew, dubitatif.

— C'est juste que… tu as eu une relation stable avec une fille, puis tu as rencontré un gars – avec lequel tu n'as pas eu de relation mais qui t'a attiré assez pour que tu réalises que tu pourrais, peut-être, vouloir… être avec un gars. Et là, nous nous sommes rencontrés et…

Kevin sourit.

— Hé oui! Tu es mon *second best*, toi aussi.

Matthew manqua de s'étouffer. Tout cela était trop incroyable! Kevin n'était cependant pas encore allé au bout de ses révélations–chocs.

— Le plus fou, Matt, c'est que mon premier… était tout aussi inaccessible que le tien. Parce que nous avons le même.

Matthew eut l'impression que sa tête allait éclater.

— Milos?

Kevin afficha un sourire narquois.

Excédé, Matthew s'exclama:

— Mais y a-t-il QUELQU'UN dans cette galaxie qui n'est PAS amoureux de Milos Menzel? Argh!

CHAPITRE 6

New York, 21 octobre

— SARAH! Ma chérie, sors de ta cachette. SARAH? Tu sais que je te trouverai de toute façon. Viens, nous allons parler.

Louise avait déjà retrouvé sa petite-fille, qui se cachait sous un ponceau au cœur de Central Park, mais se disait que ce serait moins humiliant pour Sarah de la laisser paraître volontairement plutôt que d'aller la chercher dans sa cachette.

— SARAH? Tu sais que je t'aime plus que tout au monde. Sois gentille. Ne me laisse pas toute seule au milieu de cette grande ville.

Recroquevillée sur un lit de feuilles mortes, la préadolescente ne savait plus si elle devait pleurer ou tempêter. Son cœur balançait entre la tristesse et la colère, la peine et l'humiliation.

Après un silence, elle poussa:

— Pas de chantage émotif!

Louise interpréta cette réponse comme une autorisation d'entrer dans la cachette de sa petite-fille. Cependant, pour sauver l'honneur de cette dernière, elle décida de feindre la surprise.

— Oh mon Dieu, tu es là ? Je t'ai cherchée partout.

Sceptique, Sarah poussa un petit grognement.

— Ce n'est même pas vrai. Tu m'as trouvée presque tout de suite. Il y a des dizaines de petits ponts… des centaines de cachettes dans Central Park. Comment tu as fait pour me trouver si vite ?

Louise savait qu'elle ne réussirait pas à berner Sarah.

— La vérité ?

— Ça ferait changement, répondit la jeune fille, volontairement injuste et tranchante.

Louise choisit d'ignorer l'attitude désagréable de sa petite-fille.

— Je t'ai suivie avec mon odorat, avoua la grand-mère.

Indignée, Sarah s'exclama :

— Aïe ! Tu n'es pas gênée ! Dis donc que je pue, tant qu'à y être !

Louise tourna les yeux au ciel et s'écria, sa voix rebondissant en écho sur la brique du ponceau :

— Mais non, voyons ! Tu sens très bon. Mais tu sais qu'avec mon odorat de vampire, maintenant, je peux reconnaître des odeurs… ou des parfums… sur de longues distances. Je t'ai retrouvée avec mon nez.

Sarah se tourna vers sa grand-mère en plissant le sien.

— Moi aussi, j'ai un odorat très fin… et ce n'est pas parce que je suis un vampire.

— C'est peut-être parce que tu es la fille de ton père… quand même…

Sarah resta muette. Louise tenta d'amadouer la fillette avec douceur.

— En fait, je t'ai peut-être suivie avec mon cœur aussi.

La jeune fille se leva d'un bond.

— Ton cœur? Les vampires n'ont pas de cœur. Tu vas devenir méchante, tu vas perdre tes valeurs, tu vas devenir un monstre comme mon père.

Estomaquée, Louise avait peine à croire que Sarah pouvait penser ainsi; elle décida donc de ne pas tenir compte de son commentaire. Le silence de sa grand-mère mit Sarah en mode provocation.

— Ça commence à puer ici, justement! lança-t-elle en sortant de sous le ponceau.

Louise comprit qu'elle aurait du travail à faire avant de reconquérir sa petite-fille adorée. Elle suivit Sarah, s'éloignant de l'odeur d'urine diluée et de feuilles mortes mouillées en état de putréfaction plus ou moins avancée.

— Ma chouette, tu ne pourras pas m'en vouloir pour l'éternité…

— C'est vrai… parce que je ne vivrai pas pour l'éternité, moi!

Louise soupira.

— Tu ne peux pas en vouloir à ton frère et à ta sœur non plus.

Sarah se tourna brusquement vers sa grand-mère et vociféra:

— Ne me parle pas d'eux! Je ne veux plus jamais entendre leurs noms!

— Je n'ai pas dit leurs noms, répondit Louise avec un sourire, déterminée à percer la carapace que Sarah s'était construite.

— Tu n'es pas drôle!

— Toi non plus!

— Je n'essaie pas d'être drôle!

— Juste désagréable?

— Ah!

Sarah s'élança dans un sentier, déterminée à s'éloigner de sa grand-mère qui, lorsqu'elle le voulait, pouvait devenir une adversaire redoutable dans les joutes verbales.

— Sarah! Sarah, arrête de courir. Tu ne peux pas te sauver de cette situation-là. Il faudra que tu l'affrontes un jour ou l'autre.

Sarah s'arrêta net et se tourna vers sa grand-mère qui la talonnait.

— Je choisis l'autre !

Exaspérée, Louise saisit sa petite-fille par le bras pour l'empêcher de partir de nouveau.

— Bon, là, c'est assez ! Fini le jeu du chat et de la souris !

— Tu veux dire le jeu du vampire et du sac d'Héma-Québec ?

Sarah fronça les sourcils ; ce qu'elle venait de dire n'avait aucun sens. Louise ouvrit de grands yeux, éberluée. Après un court silence, elles se mirent à rire en chœur. Louise serra Sarah dans ses bras, heureuse de retrouver sa petite-fille, ne serait-ce que pour un moment.

— C'est vraiment trop injuste, balbutia enfin Sarah contre le sein de sa grand-mère. J'apprends que j'ai un frère et une sœur que je ne connaissais pas et, quelques jours plus tard, je les perds.

Louise prit Sarah par les épaules.

— Mais tu ne les as pas perdus, voyons ! Pas plus que tu ne m'as perdue, moi ! Nous sommes encore tous là !

— Oui, mais vous avez changé.

— Tout le monde change, Sarah.

— Pas à ce point-là.

— J'avoue.

— Je veux retourner à Québec et ne plus jamais entendre parler de vampires, de… de lui ou d'elle…

Sarah se remit à marcher d'un pas décidé.

Le cœur de Louise fondit; elle comprenait le désarroi de Sarah, mais elle savait que Milos et Elizabeth aimaient leur petite sœur et qu'ils souhaitaient non seulement garder le contact avec elle, mais aussi la protéger et l'aimer comme il se devait.

— Sarah, attends-moi! Ce n'est pas gentil de faire courir ta vieille grand-mère comme ça. Je n'ai plus vingt ans.

Sarah s'arrêta brusquement et se tourna vers Louise qui n'était pas du tout essoufflée.

— Ça a marché, chantonna Louise, souriante.

— Tu n'es pas drôle.

— Au contraire, je me trouve très drôle.

— Ha, ha!…

Après un court silence pendant lequel Sarah baigna dans le regard compatissant de sa grand-mère, la jeune fille réitéra son désir de quitter la mégalopole américaine.

— Nous arrivons à peine, ma chouette. Je pensais que nous devions passer toute la fin de semaine ici, ensemble?

Contrariée, Sarah poussa un soupir.

— Je sais, mais je n'ai plus le goût maintenant. Est-ce que nous pouvons retourner chez toi ? J'aime ton appartement. Je me sens bien quand je suis là.

Le sourire racoleur de Sarah eut presque raison de Louise, mais la grand-mère eut une pensée pour Milos et Elizabeth qui les espéraient pour le petit-déjeuner chez Ellen's Stardust Diner un peu plus tard. Si elle ne réussissait pas à convaincre Sarah d'y faire acte de présence, elle avait l'impression que sa petite-fille ne reverrait plus jamais son grand frère et sa grande sœur.

— Je vais faire un marché avec toi...

Sarah regarda sa grand-mère avec méfiance.

— Tu acceptes de venir à l'hôtel pour y dormir quelques heures, question que nous nous refassions des forces. Et demain matin, c'est-à-dire tout à l'heure, nous retournerons à Québec comme nous sommes venues.

— Mais tu disais que ce n'était pas une bonne idée de voler en plein jour alors que tout le monde peut nous voir dans le ciel.

C'est vrai, Louise avait dit ça. Comme elle en était encore à ses premiers balbutiements comme chauve-souris humaine, elle préférait ne pas trop attirer l'attention sur elle.

— Bah, ce n'est pas grave. J'essaierai d'éviter les regards... Je... j'emprunterai un trajet où il y a moins de monde au sol.

Sarah sentait que Louise manigançait quelque chose. Elle la connaissait trop bien.

— Et si jamais quelqu'un nous voit, ironisa Sarah, il pensera sans doute qu'il s'agit d'une vieille autruche tenant une proie dans ses pattes.

Louise fronça les sourcils.

— Premièrement, Sarah, les autruches ne volent pas; deuxièmement, elles ne sont pas des oiseaux de proie et… troisièmement, tu n'es pas gênée de me traiter de vieille!

Sarah adressa un sourire coquin à sa grand-mère. Louise sentit qu'elle avait gagné. Pour en obtenir confirmation, elle demanda:

— Alors tu acceptes? Nous pouvons aller dormir quelques heures avant de quitter New York?

Frustrée, Sarah poussa un profond soupir. Avait-elle vraiment le choix?

CHAPITRE 7

New York, 21 octobre

Après avoir quitté Milos, Elizabeth et Rick étaient beaucoup trop excités pour rentrer tout de suite à l'hôtel. Gonflés à bloc, entourés de la verdure de Central Park, des lumières et du béton de la Grosse Pomme, ils décidèrent de profiter de leur nouveau statut de vampires dans les rues et le ciel de New York.

— Je t'aime, Rick Langston, souffla Elizabeth après avoir tournoyé à s'en étourdir dans les bras de son amoureux.

— Je t'aime aussi, Elizabeth Gurney, répondit le jeune homme en souriant. Ou devrais-je t'appeler princesse Dracula, maintenant?

Le sourire d'Elizabeth tomba instantanément. La jeune femme fut parcourue d'un frisson et son corps tout entier se crispa.

— Euh... peut-être que je devrais continuer de t'appeler Elizabeth, tout simplement?

L'adolescente se ressaisit, heureuse que Rick n'insiste pas. Elle avait accepté son nouvel état et s'adaptait graduellement à sa nouvelle vie, mais l'héritage génétique – le fait d'être la fille du comte Dracula – s'avérait toujours très lourd à porter.

Elle décida qu'il valait mieux changer de sujet pour détendre l'atmosphère.

— Tu peux aussi m'appeler «mon amour», «ma déesse» ou… «Sa Majesté», couina la jeune femme en minaudant.

Rick regarda son amoureuse avec désir et passion. Comme il aimait la sensation que ses mains lui procuraient lorsqu'il les plaçait sous les omoplates d'Elizabeth! Toujours, elle arquait le dos, et sa voluptueuse poitrine semblait se gonfler et le prier de la caresser. Jusqu'à maintenant, Rick avait été très prudent pour ne pas abuser de la situation. Certains auraient dit qu'il faisait durer le plaisir, qu'il retardait la satisfaction pour continuer à alimenter son imaginaire et faire monter le désir à son paroxysme avant de partager l'ultime moment de volupté avec son amoureuse. Ils n'auraient pas eu tort…

— Sais-tu l'effet que tu me fais? dit Rick, haletant. Tu es la femme la plus incroyable que j'ai connue.

Elizabeth sourit, touchée, fière et comblée à la fois. Elle aimait que Rick dise «la femme» et non «la fille», même si elle savait qu'il y avait plein de femmes qui se disaient encore des filles une fois qu'elles avaient passé la trentaine et la quarantaine.

Les yeux d'Elizabeth en disaient long sur les sentiments et sur le désir qu'elle éprouvait pour Rick, mais la jeune femme se garda bien de trop parler. Rick lui semblait tellement vrai, sincère, honnête, passionné, vif, brillant… toutes les qualités qu'elle avait toujours recherchées chez un amoureux, mais… pourquoi aller trop vite? N'avaient-ils pas déjà été assez bousculés lors de leur entrée dans la cohorte? Maintenant, ils avaient… la vie éternelle devant eux.

Le jeune homme réalisa que le positionnement de ses mains sur le dos d'Elizabeth provoquait une réaction instinctive chez l'adolescente. Elle n'avait pas conscience de ce que faisait son corps lorsque les mains de Rick se posaient sous ses omoplates. Dans les bras de Rick, le corps de la jeune femme découvrait sa sensualité, acceptait ses rondeurs féminines, se détendait, s'ouvrait, se laissait apprivoiser. L'instinct était plus fort que tout.

Dans les bras de Rick, Elizabeth se sentait belle et désirable. Et elle voyait, dans les yeux de son amoureux, une admiration qu'elle n'avait malheureusement jamais ressentie envers elle-même. Elle avait toujours entendu dire qu'il fallait s'aimer soi-même avant de pouvoir être aimé par quelqu'un d'autre, mais… elle n'avait pas réussi cet étrange exploit qui lui semblait inatteignable. Oui, le beau et gentil Tim l'avait regardée avec les mêmes yeux que Rick, mais quelques mois auparavant seulement on aurait dit qu'Elizabeth n'était pas prête à accepter l'idée que l'on puisse éprouver de tels sentiments à son égard.

— J'ai envie de m'envoler avec toi, déclara Rick, survolté.

Sous le coup de la surprise, Elizabeth perdit son sourire.

— Tu veux déjà quitter New York? Mais…

— Non, au contraire! rectifia Rick. Je veux voler avec toi au-dessus de New York. Je veux montrer à cette ville extraordinaire que, toi et moi, nous sommes faits pour les sommets. Avec toi, mon amour, je sens que *the sky is the limit*. Et encore, je ne suis même pas certain que le ciel pourrait nous arrêter!

Rick saisit Elizabeth sous les bras et la souleva du sol. Il la fit virevolter et danser dans les airs jusqu'à ce qu'elle lui agrippe solidement les avant-bras et l'entraîne elle aussi dans le ciel. Ensemble, les yeux dans les yeux, les amoureux tournèrent comme une énorme hélice d'hélicoptère, rigolant et s'étourdissant de bonheur.

Après un moment, Elizabeth lâcha les bras de Rick et joignit ses mains aux siennes. Elle entraîna alors son partenaire avec elle vers la cime des plus grands arbres de Central Park, évitant comme une championne de slalom géant les branches dénudées qui auraient pu les égratigner au passage. La vitesse à laquelle elle volait eut le même effet que des montagnes russes dans le bas-ventre de Rick, qui prit un plaisir délirant à se faire conduire par une fille si déterminée et entreprenante.

Amusé, Rick alla chercher le regard de son amoureuse et lui transmit le message suivant télépathiquement: «D'habitude, c'est l'homme qui conduit, non?» Elizabeth ricana et lui répondit de la même manière: «Pas dans *mon* royaume, valet *sexy*. Ce soir, c'est moi qui dirige. Tu n'as qu'à t'abandonner à ma volonté.»

Ensemble, main dans la main, leurs vêtements noirs battant au vent comme des oriflammes, les amoureux survolèrent Central Park en zigzaguant dans le ciel pour mieux observer tout ce qu'ils pouvaient voir parmi les branches de la forêt urbaine de New York. Ils étaient vraiment heureux de visiter la ville à la mi-automne, un temps de l'année où la majorité des feuilles étaient tombées et où celles qui restaient aux arbres étaient multicolores. Elizabeth et Rick pouvaient profiter pleinement du spectacle grâce à leurs pouvoirs surnaturels nouvellement acquis.

Après Central Park, les amoureux débouchèrent sur Avenue of the Americas, la Sixième Avenue, survolant les voitures qui circulaient en sens inverse. Ils effleurèrent le Time & Life Building, contournèrent le Rockefeller Center et le Radio City Music Hall, et descendirent jusqu'à Wall Street, le cœur de l'économie nord-américaine. Ils s'amusèrent à virevolter autour des sièges sociaux des grandes banques et des compagnies d'assurances multimilliardaires, abandonnant parfois la main de l'autre pour faire des figures autour de certains édifices.

Exaltés et avalant allègrement des bols d'air glacial en haute altitude, ils réalisaient des rêves d'enfance qu'ils n'auraient jamais cru pouvoir vivre un jour.

Ils furent freinés dans leur enthousiasme lorsqu'ils survolèrent Ground Zero, là où les tours du World Trade Center avaient si longtemps trôné fièrement. Ce qu'ils y aperçurent, même plusieurs années après les événements du 11 septembre 2001, leur coupa le souffle et leur imposa un moment de recueillement solennel.

— Viens! dit enfin Rick. Je veux survoler l'Empire State Building et atterrir sur son observatoire!

— Tu es fou!

— Oui! Il paraît que c'est une de mes plus belles qualités!

Elizabeth pouffa de rire. Rick entraîna son amie comme un enfant tirant derrière lui un gros ourson en peluche. Bien sûr, les deux jeunes vampires se faisaient beaucoup plus discrets que des avions de ligne – Rick et son amie étaient comparables en vol à des oiseaux surdimensionnés! –, mais quand même! S'il fallait qu'on les aperçoive dans le ciel et qu'on les prenne pour des armes de destruction...

Euphorique et heureuse comme elle ne l'avait jamais été, la jeune femme chassa rapidement cette pensée. Après tout, elle et Rick n'étaient-ils pas presque invincibles, maintenant qu'ils possédaient de super pouvoirs?

En un rien de temps, les amoureux se retrouvèrent à proximité d'un des immeubles à bureaux les plus célèbres de la planète. Ils volaient autour du cinquantième étage de l'Empire State Building, prenant soin de ne pas s'approcher trop près des fenêtres éclairées de l'intérieur, même la nuit. Personne ne devait les apercevoir passant dans le ciel comme si de rien n'était!

Ils entreprirent une montée vers le sommet et firent quelques tours de la pointe du gratte-ciel avant de replonger la tête la première vers l'observatoire du quatre-vingt-sixième étage. Tout excité, Rick poussa un puissant: «Yahou!»

Elizabeth éclata de rire et posa sa main sur la bouche de son amoureux pour le faire taire.

— Attention! On pourrait nous entendre!

— C'est trop génial, Elizabeth! Il faut faire vivre ça à tout le monde!

— Tu es encore plus fou que je le pensais! s'exclama Elizabeth en regardant tout autour d'elle.

Ouvert jusqu'à deux heures du matin tous les jours, l'attraction touristique n'attirait pas seulement des touristes tard le soir. Des gens de la ville venaient se remplir les yeux de la vue imprenable sur New York la nuit. L'endroit était aussi un lieu de prédilection pour les amoureux nostalgiques du film *Sleepless in Seattle*, qui s'y donnaient rendez-vous à minuit pour s'embrasser sous les étoiles.

Lorsque Rick et Elizabeth se posèrent sur le plancher de l'observatoire, l'endroit était fermé depuis quelques heures déjà. Ils étaient complètement seuls, jouissant du quasi-silence que procurait cette altitude impressionnante au-dessus de la ville qui ne dort jamais, comme on l'appelle couramment.

— Viens voir! C'est trop beau!

Rick fit un bond et s'agrippa aux grillages de fer qui avaient été installés plusieurs années plus tôt pour contrer les spectaculaires suicides qui avaient si souvent fait la manchette.

— Wow! On voit encore mieux comme ça!

Horrifiée, Elizabeth s'approcha rapidement de son amoureux et s'écria :

— Arrête !

Puis, regardant de tous les côtés, elle décida de poursuivre par télépathie : «Tu vas nous mettre dans l'eau chaude.»

«Ça nous réchaufferait ! répliqua Rick de la même façon. C'est frisquet ici ! J'aurais dû m'habiller plus chaudement.»

Soudainement, un gardien de sécurité affolé accourut. Il cria à Rick :

— Hé, ho, qu'est-ce que vous faites là ? C'est fermé ! Descendez de là tout de suite. C'est interdit. Vous ne pouvez pas…

Rick se laissa retomber sur ses pieds.

— Je vous demande pardon, monsieur. C'est ma première visite à New York et… c'est tout simplement trop beau, trop excitant.

Le gardien de sécurité bougon reprit la parole.

— Ouais, ouais, ouais… Je veux bien, mais si vous avez l'intention de revenir un jour, ce serait peut-être bon que vous soyez encore VIVANT, jeune homme.

Rick jeta un regard penaud au surveillant pendant qu'Elizabeth regardait le cerbère comme un enfant que l'on aurait pris la main dans la jarre à biscuits. Voyant que les contrevenants ne semblaient pas vouloir causer de problèmes, le gardien de sécurité se détendit un peu.

— Vous avez manqué le dernier ascenseur ou quoi ?

Elizabeth et Rick gardèrent le silence, préférant ne pas mentir et aggraver leur situation.

— Je vais quand même devoir faire un rapport, annonça le gardien de sécurité. Suivez-moi, s'il vous plaît.

Il se tourna pour regagner son poste. Rick profita de l'occasion pour lancer un regard complice à Elizabeth et lui agripper la main.

— Vous êtes vraiment gentil, dit le jeune homme en direction du gardien de sécurité. Merci pour tout. Bonne nuit !

Il bondit ensuite vers le ciel, disloquant presque l'épaule de la pauvre Elizabeth qui, n'ayant pas prévu le coup, n'avait pas suivi le mouvement d'envol.

Avant que le surveillant ait le temps de se retourner, Rick et Elizabeth disparurent dans la nuit. Ils s'envolèrent d'abord vers le sommet du gratte-ciel pour échapper au regard de l'employé de sécurité, puis plus haut encore pour ne devenir que de minuscules points noirs perdus dans le ciel gris souris de Manhattan.

Le pauvre gardien, réalisant qu'on lui avait fait faux bond, se mit à courir partout sur l'observatoire comme une poule à la tête coupée, cherchant désespérément le jeune blanc-bec qui lui avait glissé entre les mains. Lorsqu'il réalisa que Rick avait disparu – avec sa compagne, de surcroît! –, l'employé retira sa casquette et se lissa les cheveux, laissant ensuite sa main reposer sur sa tempe. Quel mal de tête! Machinalement, il regarda partout autour de lui, heureux que personne d'autre ne soit là pour l'observer. Avait-il la berlue? Avait-il rêvé tout ça? Comme il n'arrivait pas à s'expliquer logiquement ce qui venait de se passer, il choisit de mettre l'incident sur la faute de sa fatigue et de l'heure tardive. Après tout, pourquoi passer pour un fou quand on pouvait l'éviter?

†

Quelques minutes plus tard, Elizabeth et Rick atterrirent discrètement dans le Washington Square Park – dans Greenwich Village –, voisin du Washington Square Hotel, là où les attendait leur chambre.

— Tu es complètement cinglé, tu le sais, hein? envoya Elizabeth en balançant à Rick une claque du revers de la main.

— Je voulais te montrer que tu n'es pas la seule à savoir prendre les choses en main!

Elizabeth fronça les sourcils pendant que sa bouche se contractait en un rictus faussement diabolique.

— Il faudra quand même faire preuve d'un *peu* de prudence! Si nous attirons trop l'attention, on se mettra à nous soupçonner de… de…

— De quoi? reprit Rick. De vampirisme? J'ai toujours cru que les vampires étaient des créatures de l'imaginaire, des personnages fictifs.

— Moi aussi, mais… il y a toujours eu des gens qui croient aux vampires. Qui savent que nous existons vraiment.

— Voyons, Elizabeth, sois sérieuse!

— Je suis très sérieuse. Maître Harker, qui nous a lu le testament de mon père biologique, est la sixième génération de notaires et d'avocats à gérer les affaires du comte. Et te rappelles-tu du célèbre professeur Van Helsing, le chasseur de vampires qui a fait des recherches très poussées sur le paranormal et les phénomènes vampiriques? Eh bien, lui, bien qu'il ait été fictif, il a été inspiré par de véritables scientifiques qui ont été traités de fous et brûlés vifs, parfois même par des vampires qui se faisaient passer pour des humains… normaux. Je déteste ce mot qui ne veut rien dire. Après tout, c'est quoi être normal, hein?

Rick écouta Elizabeth sans intervenir. Tout ce qu'elle disait était terriblement vraisemblable, et maintenant qu'il était lui-même un vampire, il ne pouvait quand même pas nier l'existence des vampires!

— C'est pour ça qu'il nous faut être très prudents, mon amour, enchaîna Elizabeth. Parce qu'il y aura toujours des bien-pensants qui voudront nous éliminer.

— Pourtant, nous ne faisons rien de mal…

— Je sais… Et je te l'ai dit: j'ai l'intention sincère de me servir de mes pouvoirs dans l'unique but de faire le bien, mais… entre le bien et le mal, la ligne est mince et plusieurs personnes croient que «vampire» est synonyme de «diable».

— C'est préjudiciable, non ?

— Bien sûr… Bienvenue dans le merveilleux monde des humains ! dit la jeune femme en souriant.

Rick demeura coi. Elizabeth avait raison. Depuis la nuit des temps, les esprits fermés nourrissaient les pires préjugés envers les sexes, les races, les religions, l'orientation sexuelle et quoi d'autre encore. L'intolérance avait toujours engendré l'oppression et la cruauté.

Elizabeth enlaça Rick et blottit son visage dans le cou de son amoureux pour s'imprégner de son odeur rassurante. Ce dernier s'inquiéta.

— Ça va ?

— Je pense à Sarah, dit Elizabeth en se dégageant. Je suis triste qu'elle croie que nous l'avons trahie. Tu sais que ce n'était pas notre intention.

— Bien sûr, voyons ! C'est ridicule, sa réaction. Elle est jeune et…

— Ce n'est *pas* ridicule, coupa Elizabeth, fermement. Elle est jeune, c'est vrai, et c'est ce qui justifie qu'elle ne veuille pas devenir un vampire. Moi, je la comprends. Si j'étais dans sa peau, je ferais pareil. La différence, c'est qu'à son âge j'avais déjà un corps de femme et j'étais malheureuse comme les pierres. Elle, elle est encore une enfant. Physiquement, du moins. Elle veut devenir une femme avant de devenir un vampire.

Rick rougit.

— Je suis contente que tu comprennes maintenant, souffla doucement Elizabeth en lisant dans les yeux de son amoureux.

— Je trouve quand même qu'elle est injuste avec Milos et toi, risqua Rick.

Là-dessus, Elizabeth ne pouvait malheureusement pas contredire le jeune homme.

— Je l'aime tellement, se contenta de dire l'adolescente. Dès que nous nous sommes rencontrées, il y a eu… une chimie instantanée, tu comprends ? Nous sommes super différentes, mais…

— Les liens du sang, c'est fort.

— Les liens du sang, c'est tout nouveau pour moi, dit-elle avec une touche d'ironie. Quand je pense que mes parents ne savent pas encore tout ce que j'ai appris…

Un bref silence tomba, que la jeune femme finit par rompre.

— Autant je déteste la situation dans laquelle nous a plongés mon père biologique, autant je ne me suis jamais sentie aussi… vivante. Aussi… à ma place. Je me sentais tellement à part des autres dans ma famille adoptive. Si, au moins, mes parents m'avaient dit que j'avais été adoptée, peut-être que j'aurais pu mieux m'accepter, mieux comprendre pourquoi je me sentais si différente.

— Je t'aime avec tes différences, lança Rick en enlaçant Elizabeth et en déposant un baiser sur ses lèvres pour les réchauffer.

— Est-ce que c'est normal qu'un vampire ait froid ? demanda Elizabeth, un sourire illuminant son visage.

— Tu me demandes ça ? Tu es vampire depuis plus longtemps que moi… et tu as toujours eu ça dans le sang, toi.

Elizabeth se contenta de donner une claque amicale à son amoureux. Puis elle le prit par la main pour l'entraîner dans le hall d'entrée de l'hôtel.

En franchissant le seuil, Rick fut pris d'un frisson qui s'empara de tout son corps. Il soupçonna le changement de température d'être la cause de son inconfort et inspira profondément pour se réchauffer. Comme s'il avait absorbé trop d'oxygène trop rapidement, il sentit sa tête se mettre à tourner. Ses jambes se dérobèrent sous lui.

— Elizabeth…

La jeune femme venait à peine de se retourner lorsque son amoureux perdit connaissance sous ses yeux. Horrifiée mais voulant éviter d'attirer l'attention sur eux, Elizabeth se rua sur le corps inanimé de Rick et tenta de le réveiller en lui tapotant la joue et en répétant doucement son prénom dans son oreille. Lorsqu'elle s'aperçut que rien ne se passait, elle se releva et regarda autour d'elle. À cette heure, le *lobby* de l'hôtel était désert. Elizabeth se dirigea rapidement vers le comptoir où une jolie jeune femme lisait paisiblement.

— Excusez-moi, dit Elizabeth, la voix chevrotante.

— Oui ? répondit l'employée en levant les yeux.

Instantanément, un étrange courant psychique passa entre les deux filles. Elizabeth se sentit inexplicablement soulagée et soutenue. En observant un peu plus longtemps la très jolie rousse qui se trouvait devant elle, elle remarqua le teint pâle et laiteux, la peau presque diaphane, la pupille ovale au milieu des yeux vert émeraude...

«J'ai besoin que tu m'aides», transmit-elle à cette employée d'hôtel pas ordinaire. «Je ne sais pas ce qui se passe avec Rick. Tu comprends, toi?»

Très calmement, la jeune femme déposa son roman d'Anne Rice et contourna le comptoir en transmettant à Elizabeth:

«Je m'appelle Chloe. Tu peux me faire confiance.»

Pour sauver les apparences, la préposée au service à la clientèle parla ensuite à haute voix à Elizabeth comme elle l'aurait fait si elle avait eu affaire à une cliente... mortelle.

— Aidez-moi à l'installer dans ce fauteuil roulant. Nous le conduirons à votre chambre.

Elizabeth ne put s'empêcher de froncer les sourcils. Cette démarche était pour le moins étrange, mais... c'est vrai qu'on n'emmène pas un vampire à l'urgence d'un hôpital!

L'amoureuse de Rick garda le silence et s'exécuta – pour la forme parce que Chloe aurait facilement pu soulever seule le corps inerte de Rick. Elizabeth transmit ensuite à la jeune femme: «Mais qu'est-ce qu'il a?»

En poussant le fauteuil roulant vers l'ascenseur, Chloe répondit à Elizabeth par la pensée : « Il faut que tu complètes sa transformation, son entrée dans la cohorte. »

— QUOI ? échappa Elizabeth à haute voix, complètement éberluée.

CHAPITRE 8

Québec, 21 octobre, 10 h 13 (heure locale)

— Oui, bonjour, madame Lachance? Est-ce que je pourrais parler à Sarah, s'il vous plaît?

Lyne reconnut tout de suite la voix de Jolane, la meilleure amie de sa fille depuis la maternelle. Elle sourit.

— Sarah est chez sa grand-mère pour la fin de semaine, Jolane, répondit-elle. Veux-tu essayer de la joindre là-bas? Je peux te donner le numéro de téléphone.

— Ce serait super gentil. Pensez-vous qu'il est trop tôt pour l'appeler maintenant, un samedi matin?

Lyne jeta un œil à sa montre.

— Je ne pense pas, non. Sarah n'est pas du genre à traîner au lit le matin. Loulou non plus, d'ailleurs… d'autant plus que Sarah passe la fin de semaine chez elle pour l'aider à faire le ménage et à s'installer.

Jolane s'enthousiasma.

— Je suis tellement contente pour Sarah que sa grand-mère soit enfin sortie de l'hôpital. Je sais qu'elle en rêvait, tellement elle avait hâte.

— Nous sommes tous très heureux. En plus, ma mère semble avoir rajeuni de vingt ans. C'est un vrai de vrai miracle !

Jolane nota le numéro de téléphone de Louise et remercia chaleureusement la mère de Sarah avant de raccrocher. Lyne se rendit dans le bureau pour allumer l'ordinateur et inscrire dans son registre les notes de la dernière production écrite de ses élèves, pendant que Jolane appelait chez Loulou. La préadolescente tomba sur la boîte vocale.

La jeune fille se demanda si elle devait laisser un message. Bah, pourquoi pas ?

— Bonjour, madame Louise. C'est Jolane Mercier, l'amie de Sarah. Est-ce que vous pourriez demander à Sarah de me rappeler, s'il vous plaît ? J'aimerais lui parler de… de quelque chose. Merci !

Elle raccrocha et attendit fébrilement l'appel de son amie. Elle avait hâte de parler à Sarah qui n'avait pas répondu à ses courriels et qu'elle n'avait pas vue sur Talk2Me la veille.

†

Avant de s'attaquer à son travail, Lyne décida d'aller consulter ses messages. Elle trouva un courriel de Sarah.

Chère maman,

Comme tu le sais, je passe la fin de semaine avec Loulou. Ce que tu ne sais pas, c'est que Loulou et moi avons décidé de passer cette fin de semaine à New York parce que…

— New York? s'exclama Lyne à voix haute, les yeux écarquillés.

… Loulou m'a dit qu'elle a toujours rêvé de voir New York. Alors j'ai accepté de l'accompagner.

— Elles sont parties à New York sur un coup de tête? Une femme de quatre-vingt-sept ans et sa petite-fille?

Nous reviendrons dimanche soir. Ne vous inquiétez pas, papa et toi.

— Mais non, hein? Il n'y a pas de raison de nous inquiéter, ironisa Lyne en portant une main à sa poitrine comme si elle voulait calmer son cœur.

Maintenant que Loulou va mille pour cent mieux, elle veut vivre ses rêves.

— Mille pour cent! dit Lyne en levant les yeux au plafond, découragée.

Quelques secondes après, elle dut s'avouer que Sarah avait raison. Elle venait elle-même de dire à Jolane que la guérison de sa mère relevait du miracle. Mais de là à dire qu'elle était assez en forme pour partir – toute seule avec une préadolescente! – pour New York, une ville plus grande que nature qu'elle ne connaissait pas, quelques *heures* seulement après avoir quitté l'hôpital… cela était complètement insensé!

— Non? se demanda Lyne à voix haute, incertaine.

Je vous aime et je vous raconterai tout à notre retour.

Sarah xxx

Lyne expira bruyamment, dépassée par les événements. Après ce qu'elle venait de vivre à cause de la disparition de Sarah et l'hospitalisation de sa mère, l'enseignante décida de faire confiance à la vie. Elle sourit, malgré elle.

— David? s'écria-t-elle. Ma mère est folle!

†

Killester, 15 h 13 (heure locale)

Après avoir dormi quelques heures, Molly O'Neil fut tirée du sommeil par la sonnerie du téléphone.

— *Hello?* dit-elle d'une voix endormie après avoir porté le récepteur à son oreille droite, celle qui n'était pas collée à l'oreiller.

— Madame Gurney? C'est Sam Rollins.

— *Good morning,* Sam…

Mal à l'aise, la meilleure amie d'Elizabeth répéta:

— *Good morning?* C'est l'après-midi. Est-ce que je vous réveille?

— Oui. J'ai fait trois accouchements la nuit dernière et…

— Ah! Vous êtes tellement chanceuse! s'exclama l'adolescente, pâmée, oubliant pourquoi elle téléphonait.

Aider des mères à mettre au monde leurs bébés. Il n'y a rien de plus extraordinaire! Vous faites des petits miracles tous les jours.

Malgré l'irritation d'avoir été tirée brutalement d'un sommeil durement mérité, la docteure O'Neil ne put faire autrement que d'être touchée par les propos de Samantha.

— Je suis vraiment désolée de vous avoir réveillée.

Molly O'Neil sourit.

— Ce n'est rien, Sam. Tu ne pouvais pas savoir.

— Un jour, j'aimerais devenir gynécologue-obstétricienne comme vous.

Molly gloussa tout en se rappela tristement qu'elle avait toujours eu plus d'affinités avec la meilleure amie de sa fille qu'avec Elizabeth elle-même. Samantha lui donnait encore raison. Elle se releva dans le lit et libéra ses jambes cachées sous la literie.

— Est-ce que je peux parler à Elizabeth?

Le sourire de Molly tomba lorsqu'elle se souvint que sa fille était encore absente.

— Tu n'es pas au courant? demanda-t-elle à Samantha. Elizabeth est encore partie.

— Quoi?

— Hé oui! Avec son beau Rick! Je suis étonnée qu'elle ne t'ait pas informée de ses projets.

L'estomac de Sam se noua.

— Savez-vous où elle est allée ? tenta prudemment l'adolescente, craignant de mettre son amie dans l'eau chaude avec sa question.

— Tu penses sérieusement qu'elle me l'a dit ? demanda Molly, un peu froidement. Ma fille semble être passée maître dans l'art de se volatiliser, en ne laissant derrière elle que de petites notes furtives et mystérieuses.

Samantha se tut, ne sachant que répondre à la mère de son amie qui, elle devait bien le reconnaître, avait raison.

— Excuse-moi, Sam. Ce n'est pas ta faute si ma fille est une rebelle incorrigible. Je suis contente qu'elle ait une amie comme toi pour la raisonner et lui éviter de faire des bêtises irréparables.

La jeune femme rougit et se sentit soulagée d'être au téléphone plutôt que face à la docteure O'Neil. Si elles avaient été en tête à tête, la mère de son amie aurait sans doute lu de la culpabilité dans ses yeux et aurait été tentée de lui faire subir un interrogatoire en règle. « Si vous saviez, madame Gurney ! Si vous saviez… » songea-t-elle.

Heureusement, elle évita de se racler la gorge, ce qui aurait pu éveiller les soupçons de la mère d'Elizabeth.

— Pouvez-vous lui demander de m'appeler lorsqu'elle reviendra ? se contenta-t-elle de dire, la voix étranglée.

— Bien sûr! Et tu lui demandes de donner des nouvelles à la maison si elle communique avec toi avant de rentrer?

— Pas de problème. Merci. Au revoir et... désolée encore de vous avoir réveillée.

— Bah! Il fallait que je me lève de toute façon. Au revoir, Samantha!

Les deux femmes raccrochèrent.

Molly O'Neil eut à peine le temps de redéposer sa tête sur l'oreiller que le téléphone sonna de nouveau. Contrariée, elle fit néanmoins un effort pour répondre poliment.

— Madame Gurney? Bonjour. Vous allez bien? C'est Tim Roberts à l'appareil.

Molly s'adoucit instantanément.

— Tim? Quelle belle surprise! Comment vas-tu, mon garçon?

L'ancien amoureux d'Elizabeth, celui que la jeune fille avait assez cavalièrement largué parce qu'il était trop sage, trop gentil, trop rose, pas assez audacieux et sombre, avait toujours apprécié les petites attentions de sa «belle-mère». Mais il l'avait toujours trouvée un peu trop intense, de telle sorte qu'il ne savait pas vraiment comment la prendre.

— Je vais bien. Je...

— Ça fait longtemps! Qu'est-ce que tu deviens?

— Toujours pareil. L'école, la distribution de journaux, le sport… Et vous?

— Tout va bien, affirma Molly, mais… tu nous manques beaucoup.

La mère d'Elizabeth avait échappé cette dernière affirmation sans trop réfléchir. Elle réalisa rapidement qu'elle était lourde de sens. C'était comme si elle avait voulu rappeler à Tim que ce n'était surtout pas sa faute ni celle de son mari si Elizabeth l'avait balancé par-dessus bord. Pendant la courte période qu'avait duré la relation des deux jeunes gens, Molly avait beaucoup apprécié l'effet calmant que Tim avait sur sa fille. Elle ne pouvait vraiment pas en dire autant de Rick, la nouvelle flamme de l'adolescente!

— Euh… c'est gentil, balbutia maladroitement le jeune homme après un court silence, ne sachant trop quoi répondre. Je… Est-ce que je pourrais parler à Elizabeth, s'il vous plaît?

Encore une fois, le sourire de Molly tomba. Irritée, elle fut envahie par l'étrange impression que tout le monde se liguait pour lui rappeler que sa fille était encore en fugue.

— Elizabeth? dit gentiment Molly, cherchant ses mots. Oui. J'imagine que tu t'es inquiété pour elle, n'est-ce pas? Excuse-nous d'avoir appelé chez toi lorsque nous la cherchions. Nous ne voulions surtout pas t'alarmer. Nous savons combien tu l'aimes toujours.

Tim rougit de pied en cap. Il n'avait pas tellement envie de parler de ses sentiments profonds et intimes avec la mère de son ex!

— Ne t'inquiète pas, mon beau, enchaîna Molly, tentant de tourner la situation à son avantage. Elle est revenue saine et sauve. Elle ne nous a pas trop donné de détails sur sa disparition, mais tu connais Elizabeth. Elle a toujours été plutôt… discrète. Discrète ? Non. Secrète serait un terme plus juste.

Tim se contenta de se racler la gorge, à court de mots.

— Elle est dans une période difficile de sa vie, ces temps-ci, tu comprends ? Elle se cherche… Je suis convaincue qu'elle cessera de s'étourdir bientôt et qu'elle redeviendra comme avant. C'est ce que nous souhaitons tous, n'est-ce pas ?

Encore une fois, Tim fut envahi par un profond malaise, mais il se sentit obligé d'acquiescer. Après tout, il ne pouvait pas nier qu'il aimait toujours Elizabeth. Il savait aussi qu'il ne fallait pas discuter trop longtemps avec la mère de son ancienne petite amie, une femme dangereusement brillante et habile.

— Je suis content qu'il ne lui soit rien arrivé pendant qu'elle était partie, ajouta-t-il. Est-ce que je peux parler à Elizabeth maintenant, s'il vous plaît ?

— Ah oui ! Excuse-moi. Un instant.

Molly éloigna l'appareil de sa bouche et cria :

— ELIZABETH ?

Elle laissa s'écouler un silence juste assez long avant de lancer d'une voix chantante :

— Elizabeth ? C'est Tim, ma chérie ! Tu prends l'appareil dans la cuisine ?

Molly attendit quelques secondes avant de replacer le récepteur sur son oreille.

— Tim? Excuse-moi. Elle semble être sortie. Je vais lui demander de te rappeler dès qu'elle rentrera, d'accord?

— Euh… oui, oui, merci, dit Tim, déçu.

Il ne croyait pas vraiment qu'Elizabeth le rappellerait et Molly le sentit dans sa voix.

— Tu sais, Elizabeth t'aime encore beaucoup. Elle serait furieuse si elle savait que je te l'ai dit, mais… c'est son orgueil qui l'empêche de reprendre contact avec toi. Elle a honte d'avoir rompu avec toi et… elle a besoin de temps pour réfléchir un peu avant de te faire part de ses vrais sentiments, tu comprends? Sois patient. Elle reviendra.

Le cœur de Tim s'emplit d'espoir. Est-ce que Molly disait vrai? Il voulait tellement y croire.

— Merci, madame Gurney. Je… je l'attendrai.

Molly sourit, satisfaite.

— Entre-temps, tu viens faire un tour à la maison quand tu veux. Ne te gêne pas, susurra-t-elle en faisait fi du malaise épouvantable qui s'installerait si Tim se pointait à la porte à l'improviste et arrivait face à Elizabeth.

— Au revoir. Et merci encore, dit le jeune homme avant de raccrocher.

Satisfaite, Molly raccrocha aussi. Elle allait tout mettre en œuvre pour que sa fille renoue avec ce garçon de bonne famille, équilibré, sain, intelligent, mignon comme tout. Elle n'aurait pas l'esprit tranquille tant et aussi longtemps qu'Elizabeth s'acharnerait à fréquenter son Rick Langston!

Quelques minutes plus tard, la docteure O'Neil arrivait à la cuisine pour manger une bouchée lorsque le téléphone sonna une troisième fois.

— Incroyable! poussa-t-elle, découragée, avant de répondre. Allô?

— Bonjour? J'aimerais parler à Elizabeth, s'il vous plaît…

Agacée, Molly demanda froidement:

— Qui parle?

— Marcy Jennings. Je suis une amie de…

— Je sais très bien qui tu es. Ma fille n'est pas là. Elle est partie pour la fin de semaine.

— Ah! Elle ne m'en avait pas parlé, avoua l'adolescente avec une pointe de frustration et de reproche dans la voix.

Dans sa tête, Molly se dit: «Le contraire m'aurait surpris. Ma fille te traite de sangsue collante. Tu es la dernière personne qu'elle se donnerait la peine d'informer de ses allées et venues!»

— Si elle ne rentre pas trop tard demain, je lui dirai de t'appeler, mentit Molly, sachant très bien que ce serait inutile de demander une telle chose à sa fille.

— Merci beaucoup! s'enthousiasma l'adolescente tristement naïve. J'attendrai son appel… ou je lui parlerai à l'école lundi matin si elle n'a pas la chance de me rappeler.

— C'est ça, répondit sèchement la mère d'Elizabeth avant d'ajouter un «au revoir» on ne peut plus froid et de raccrocher.

Marcy Jennings souhaitait depuis plusieurs mois qu'Elizabeth devienne son amie, et elle était déterminée à y arriver coûte que coûte. Elle était prête à tout pour qu'Elizabeth la reconnaissance, l'accepte, l'aime. Elle avait commencé à modifier son apparence pour ressembler à Elizabeth et avait demandé à ses parents – le plus subtilement possible – de lui acheter certains vêtements semblables à ceux de son modèle. Quand Elizabeth était devenue gothique presque du jour au lendemain, Marcy s'était improvisée une teinture noire qui avait mal tourné. Elle avait dû se laver les cheveux trois fois par jour pendant une semaine avant d'évacuer complètement cet épisode cauchemardesque qui l'avait rendue ridicule aux yeux des autres filles de St. Mary's.

Seule dans sa chambre, elle ouvrit son agenda scolaire et en sortit la photo d'Elizabeth qu'elle gardait dans une pochette de plastique intégrée.

— Tu m'appelleras, Elizabeth. J'ai vraiment hâte que nous passions du temps ensemble, entre filles, entre amies. Tu es vraiment ma BFF[1]. Tu le sais, n'est-ce pas ?

Elle embrassa la photo de celle qui était devenue son idole et la rangea soigneusement dans sa cachette secrète en soupirant, fébrile à l'idée de recevoir un appel d'Elizabeth.

De son côté, exaspérée, Molly O'Neil s'écria :

— Je ne suis pas ta réceptionniste, Elizabeth Gurney !

Frustrée, elle s'assit à la table de la cuisine, hésitant entre éclater en sanglots ou casser une assiette.

†

Bucarest, 16 h 13 (heure locale)

Après un repas du midi gastronomique, préparé minutieusement par son ami Florent Larouche, Jean-Jacques Morneau proposa à Oleana Popescu de faire une balade à pied dans les rues du centre-ville de Bucarest.

— Mais vous n'y pensez pas ? avait d'abord vigoureusement objecté la gouvernante. Si les enfants m'écrivent pendant que je m'absente ? S'ils appellent ?

Monsieur Morneau avait souri, toujours aussi chaleureux et rassurant.

---

[1] *Best friend forever (meilleure amie pour la vie).*

— S'ils appellent, vous pourrez répondre sur le téléphone portable… Et s'ils écrivent, leurs messages vous attendront dans la boîte de réception de courriels.

Oleana avait froncé les sourcils, contrariée.

Après avoir multiplié les arguments, le cuisinier du château Dracula avait finalement convaincu sa gouvernante adorée.

Pendant toute la durée de leur tour dans le centre-ville, que monsieur Morneau aurait souhaité plus romantique, Oleana Popescu avait eu les yeux tournés vers le petit appareil téléphonique gris.

— Ils prennent un temps fou à me répondre, répétait-elle régulièrement. Peut-être m'ont-ils écrit ? Nous devrions retourner au restaurant.

Après plus d'une heure de promenade, le cuisinier comprit que madame Popescu ne serait pas tranquille tant qu'elle n'aurait pas obtenu des nouvelles des enfants du comte.

— Vous êtes gentil, Jean-Jacques, souffla-t-elle, penaude. Pardonnez-moi d'être si insistante, mais je m'inquiète sincèrement pour eux. Merci de me comprendre.

Contrairement à madame Popescu, monsieur Morneau était doté d'une patience presque aussi illimitée que le forfait week-end de son cellulaire !

En mettant le pied dans le restaurant, la dame rondelette s'élança vers l'ordinateur. Cependant, elle ne connaissait pas assez le fonctionnement de l'appareil pour tenter par elle-même de consulter la messagerie.

— Jean-Jacques! S'il vous plaît! Venez vite. M'ont-ils écrit?

Monsieur Morneau s'approcha et ouvrit la boîte de réception. Aucun message n'était arrivé, ni de Milos, ni d'Elizabeth, ni de Sarah.

— Mais comment se fait-il qu'ils ne me répondent pas? Ils m'en veulent, c'est ça? Ils se sentent soulagés que je ne sois plus là pour les étouffer. J'en suis convaincue!

— Ne soyez pas ridicule, Oleana!

— Ridicule? répéta la gouvernante, triste et insultée à la fois. Oui, Jean-Jacques, vous avez raison. Je suis ridicule. Je me comporte comme une mère dont les enfants sont partis à la guerre.

Pendant que monsieur Morneau se tenait devant elle les yeux baissés, madame Popescu évalua sa comparaison dans sa tête. Elle enchaîna ensuite:

— Vous savez, je ne suis peut-être pas leur mère, mais j'ai bel et bien l'impression qu'ils sont partis à la guerre. La guerre du bien contre le mal qui doit se jouer dans leurs têtes et dans leurs cœurs… Douce divinité!

Elle ouvrit les mains et leva les yeux au ciel, implorant:

— Mon Dieu! S'il vous plaît! Faites qu'ils m'envoient un signe!

Dans son for intérieur, monsieur Morneau formula sa propre prière. «Mon Dieu, si Oleana reçoit un message d'un des enfants dans les cinq prochaines minutes, je lui déclarerai mon amour sur-le-champ.» L'ordinateur émit un petit timbre sonore.

Le souffle coupé, madame Popescu se pencha sur l'appareil.

— Qu'est-ce que c'est?

Les sourcils froncés, le cuisinier s'approcha:

— Un message de Milos… constata-t-il, troublé.

La gouvernante se mit à sautiller comme une gamine en tapant des mains.

— Oh merci! Merci mon Dieu! Je peux lire le message?

Avec l'aide de la souris, le chef Morneau ouvrit le courriel, écrit en roumain.

— Quelle attention délicate de la part de Milos! dit Oleana, séduite. Quel garçon formidable!

La gouvernante chaussa rapidement ses lunettes de lecture avant de s'asseoir devant l'appareil.

Chère madame Popescu,

Je suis désolé de ne pas vous avoir écrit avant. Vous devinerez que nous avons été débordés avec toutes ces choses qui se passent dans nos vies. Je vous écris maintenant pour vous dire que tout va bien. Sarah et Elizabeth sont avec moi à New York pour la fin de semaine. Nous sommes très heureux. Sarah accepte mal qu'Elizabeth et moi soyons devenus des vampires, mais…

Les yeux d'Oleana Popescu s'écarquillèrent et sa respiration devint haletante.

— Quoi?

… nous espérons que l'amour que nous avons pour elle lui permettra de comprendre. Nous apprivoisons nos nouvelles vies et nous en accommodons assez bien jusqu'à maintenant. Ne vous inquiétez pas pour nous. Nous espérons que vous vous portez bien. Sachez que nous avons beaucoup apprécié tout ce que vous avez fait pour nous. Nous espérons aussi vous revoir bientôt. Salutations à tout le monde au château.

Cordialement,

Milos xxx

Oleana Popescu demeura muette. Les larmes emplissaient ses yeux. Jean-Jacques Morneau, qui avait lu par-dessus l'épaule de son amoureuse, regrettait le pacte secret qu'il avait fait avec Dieu. «Mais une promesse est une promesse…» se dit-il. Il inspira profondément pour se donner une contenance.

— Douce divinité! souffla madame Popescu, bouleversée.

— Je vous aime, Oleana Popescu…

— Quoi?

CHAPITRE 9

New York, 21 octobre

— Doux Jésus! Tu m'as fait peur!

— Excuse-moi, Loulou. J'attendais que tu te réveilles. Est-ce qu'on peut partir maintenant?

Sarah n'avait presque pas dormi. À six heures du matin, exaspérée de se tourner et retourner dans le lit de sa chambre d'hôtel, elle s'était levée et avait attendu patiemment au chevet de sa grand-mère que cette dernière se réveille.

— Mais voyons, Sarah! Tu es bien pressée…

Sarah fronça les sourcils.

— Tu sais très bien pourquoi.

L'opinion de Sarah n'avait pas changé. Elle voulait quitter New York et rentrer à Québec le plus rapidement possible pour oublier toute cette saga Dracula.

— Laisse-moi le temps de me réveiller, au moins, dit Louise, à la fois pour gagner du temps et pour permettre à son corps de s'adapter au jour nouveau qui commençait.

Sarah soupira.

— OK, mais fais ça vite. Moi, ça fait déjà quatre heures que je t'attends.

Louise préféra ne pas répondre, pour éviter d'alimenter l'attitude égoïste que Sarah avait adoptée. Elle se tira du lit et se rendit à la salle de bains où elle fit sa toilette en réfléchissant à sa prochaine stratégie. Elle ne pouvait pas quitter la Grosse Pomme avant que Sarah ait revu Milos et Elizabeth.

Pendant ce temps, à la fenêtre de la chambre, Sarah regardait le Washington Square Park. Elle tentait d'oublier la trahison qu'elle ressentait en pensant à Simon qui l'attendait à Québec et au *party* d'Halloween du Petit Séminaire qui approchait à grands pas.

— C'est dans six jours, chuchota-t-elle si proche de la vitre qu'elle y laissa une petite buée blanche.

†

Elizabeth avait passé le reste de la nuit à veiller sur Rick qui lui avait donné toute une frousse. Heureusement que Chloe avait été là pour lui expliquer la situation, la conseiller et l'aider, sans quoi Rick n'aurait sans doute pas survécu.

La fille de Dracula avait appris que si elle n'avait eu besoin d'être vampirisée qu'une seule fois pour entrer définitivement dans la cohorte, c'était parce que le sang du maître coulait dans ses veines. Rick et les autres devaient être vampirisés deux fois en moins de quarante-huit heures – la deuxième fois au moins vingt-quatre heures *après* la première fois, sinon on risquait de les affaiblir en leur soutirant trop de sang sans leur donner la chance de se revitaliser – pour devenir des vampires à part entière.

— Sarah a raison! s'était écriée Elizabeth pendant que Rick agonisait sur le lit de la chambre d'hôtel. Notre père de malheur ne nous a rien dit de tout ça, comme si… nous devions tout savoir d'instinct! Rick pourrait mourir à cause de lui. À cause de moi!

Chloe avait pris soin d'appliquer des compresses d'eau froide sur le front de Rick pendant que celui-ci était secoué par de violents spasmes qui s'apparentaient à ceux des fiévreux critiques ou des héroïnomanes en désintoxication.

— Il faut que tu le vampirises encore si tu veux qu'il survive…

— Qu'il survive! avait répété Elizabeth en pesant sur le dernier mot pour en démontrer toute l'ironie dans les circonstances.

Frustrée et inquiète à la fois, Elizabeth était tiraillée, se sentant coupable d'avoir vampirisé Rick une première fois. Elle s'était approchée de son amoureux en sueur et lui avait demandé:

— Est-ce que c'est ce que tu veux, mon amour?

Frissonnant et les yeux suppliants, Rick avait réussi à souffler, le visage déformé par un rictus troublant:

— Oui, Sa Majesté!

Elizabeth s'était tournée brusquement vers Chloe.

— Je n'ai pas d'autre option?

— L'emmener à l'hôpital pour qu'il subisse une transfusion sanguine et reprenne son état humain.

— Non, mon amour! avait marmonné Rick avec ce qui semblait être ses dernières forces.

Elizabeth avait caressé les cheveux mouillés du jeune homme pendant qu'il chuchotait:

— Je veux rester avec toi. Vivre avec toi. Garde-moi avec toi, je t'en supplie.

Les yeux remplis de larmes, Elizabeth avait tapissé de baisers le visage blême de Rick. Elle avait ensuite tracé un sentier avec ses lèvres vers la veine jugulaire de son amoureux. Humant le parfum de Rick, goûtant sa sueur sur ses lèvres, elle avait enfin ouvert la bouche et mordu sans équivoque le cou du jeune homme dont le corps s'était raidi comme une planche. Elle avait bu le sang non seulement par devoir – pour s'assurer qu'il pourrait rester avec elle dans cette vie éternelle troublante mais délicieuse qu'ils avaient découverte ensemble – mais encore plus par amour et par désir. La jeune fille avait savouré le goût doux-amer de cette deuxième vampirisation autant qu'elle savourerait la première fois qu'elle ferait l'amour avec Rick, elle le savait.

Après avoir jeté un œil au réveille-matin qui affichait maintenant dix heures trente, Elizabeth demanda à Chloe:

— Est-ce que c'est normal qu'il dorme encore ?

— Ce n'est jamais pareil d'une personne à l'autre, répondit la jeune femme.

Impatiente, Elizabeth bougonna.

— Je suis certaine qu'il se remettra bien, reprit Chloe. Il n'est plus en sueur et il est paisible : c'est bon signe, rassure-toi. Il faut seulement lui donner le temps de surmonter le traumatisme que son corps a subi.

— Tu veux dire le traumatisme que *je* lui ai fait subir parce que je ne savais pas qu'il fallait que je le vampirise deux fois.

— Ce n'est pas ta faute. Comment aurais-tu pu le savoir ? Ne sois pas si dure avec toi-même.

Elizabeth poussa un soupir, impuissante. C'est alors que Rick grogna en se réveillant difficilement. Soulagée et excitée, la jeune femme commença à caresser les joues de son amoureux.

— Rick, mon amour, ça va ?

Le jeune homme ouvrit enfin les yeux pendant que ses lèvres dessinaient un sourire de plénitude sur son visage.

— Mmm !… J'aimerais bien me faire réveiller comme ça tous les matins.

Le visage d'Elizabeth s'illumina.

— Qu'est-ce qui s'est passé ? demanda Rick, désorienté.

Elizabeth se tourna vers Chloe. Fallait-il tout lui dire ? Maintenant ou plus tard ?

— Tu t'es évanoui dans le *lobby* de l'hôtel, expliqua Chloe en s'approchant du lit. Nous t'avons monté ici pour te soigner.

Le visage de Rick s'illumina. Son regard alternait entre Elizabeth et l'étrangère qui venait de lui adresser la parole. Qui était cette ravissante jeune femme et que faisait-elle dans la chambre d'hôtel qu'il partageait avec Elizabeth ? « Suis-je mort et monté au ciel ? C'est ça, le paradis ? Si oui, n'importe quand ! »

— Je m'appelle Chloe. Bienvenue officiellement dans la cohorte, Rick. J'ai été envoyée par le père d'Elizabeth pour veiller sur vous.

— Quoi ? s'exclama Elizabeth. Tu ne m'avais pas dit ça ! Tu as été envoyée par mon père ? Dehors !

Chloe demeura stoïque.

— Il ne veut que votre bien.

Incrédule, Elizabeth dévisagea la jeune femme vampire.

— Mon père veut le bien ?

— Ton père veut *votre* bien, rectifia Chloe. Il n'est pas tout noir, tu sais.

Elizabeth se braqua.

— Comment puis-je croire ça ? Mon père, le comte Vlad Tepes Dracul, qui veut le bien de ses enfants ? Il a toujours été sans pitié, sans âme, sans émotions…

— C'est ainsi que la légende l'a dépeint, mais il n'est pas aussi odieux qu'on le dit.

Elizabeth se contenta de pousser un petit «pfff!» dubitatif.

— Je suis là pour vous aider, vous soutenir. Je suis votre alliée. Vous ne le savez pas encore, mais être vampire, aujourd'hui, ce n'est pas de tout repos. Les avancées technologiques simplifient la vie des humains, et celle des vampires aussi, mais elles peuvent aussi nous nuire. L'information circule vite et les rumeurs peuvent se propager comme une traînée de poudre. Ainsi, si on soupçonne notre retour, la cohorte pourrait rapidement être décimée.

Elizabeth jeta un regard inquiet à Rick qui n'avait d'yeux que pour Chloe.

— Je suis certain qu'avec des filles comme toi nous pouvons survivre à tout.

Chloe sourit gentiment. Elizabeth éprouva un pincement de jalousie au cœur.

— Alors tu vas rester avec nous? demanda Rick, plein d'espoir.

— Je ne peux pas. Contrairement à ce que l'on pourrait penser, il ne serait pas prudent que nous demeurions en groupe. Lorsque de petites cliques de vampires restent trop longtemps ensemble, des humains surprennent leurs conversations, ce qui peut éventuellement déclencher une chasse aux vampires. Nous devons faire preuve de discrétion.

Rick sourit à Chloe.

— J'ai de la difficulté à croire que tu puisses passer inaperçue. Tu dois constamment faire tourner les têtes dans la rue, non?

Elizabeth fronça les sourcils. Elle intervint, tranchante:

— Il faudrait maintenant que tu partes, Chloe. Rick et moi sommes déjà en retard. Nous devons aller rencontrer mon frère pour le petit-déjeuner. Tu te souviens, mon amour?

Déçu, Rick s'empressa de ranger son désir au placard. Il se ressaisit:

— C'est vrai. Merci pour tout, Chloe.

Il se leva d'un bond pendant que Chloe acceptait modestement les remerciements et se dirigeait vers la porte.

— Est-ce que nous te reverrons bientôt?

Chloe sourit.

— Je ne sais pas. Ma mission ici est terminée et…

Chloe s'interrompit, surprise par le sentiment que lui inspiraient les yeux de Rick.

— On ne sait jamais…

Elizabeth s'empressa d'ouvrir la porte pour celle qu'elle considérait maintenant comme une rivale.

— Merci encore, Chloe, souffla-t-elle à quelques centimètres de l'oreille de son interlocutrice pour que celle-ci ait le réflexe de se tourner vers la porte. Merci beaucoup.

Chloe détacha son regard de celui de Rick et passa la porte qu'Elizabeth lui ferma presque au nez. Rick demeura muet pendant que son amoureuse le fusillait froidement du regard.

— C'était quoi, ça?

CHAPITRE 10

New York, 21 octobre

Milos avait passé le reste de la nuit à errer dans les rues de New York, tentant de s'étourdir pour oublier les lourdes responsabilités et la culpabilité qui pesaient sur ses épaules. D'une part, il se sentait coupable de ne pas avoir joué franc-jeu avec Sarah, Matthew et Océane. Et il s'en voulait toujours d'avoir vampirisé Cassandra. D'autre part, il lui restait encore cinq âmes humaines à faire entrer dans la cohorte s'il voulait atteindre l'objectif fixé par son père. Et il désirait que sa nouvelle vie de vampire prenne, en quelque sorte, un virage positif, soit un réalignement vers le bien pour les vampires. Il souhaitait que Sarah, Elizabeth et lui ne soient pas seulement la nouvelle génération de vampires, mais encore la genèse des vampires du bien... si cela était possible.

Après avoir écrit à madame Popescu pour la rassurer, il s'était douché rapidement et s'était préparé pour son petit-déjeuner avec ses sœurs et leurs invités. Ses sœurs ? Sarah allait-elle vraiment être là après ce qui s'était passé dans Central Park ? Il le souhaitait ardemment.

«Je devrais peut-être passer un coup de fil à Océane», se dit-il en posant la main sur la poignée de la porte, prêt à partir.

Il sourit béatement. Comme il aimait cette fille! Après avoir jeté un œil à sa montre, il jugea qu'il valait peut-être mieux remettre à plus tard son appel. Elizabeth et Rick l'attendaient sans doute déjà au Stardust Diner.

†

— Tu es vraiment mignonne quand tu es jalouse…

— Tu n'es pas drôle, Rick Langston!

Quand elle sortit comme un coup de vent du Washington Square Hotel, Elizabeth se sentait davantage blessée dans son orgueil que gonflée d'une véritable colère.

— Arrête! Tu sais que c'est toi que j'aime!

La jeune fille se tourna sur le trottoir pour affronter Rick.

— Peut-être que tu m'aimes, mais as-tu vu comment tu regardais cette… fille?

— Chloe, précisa Rick, les yeux lumineux. Elle s'appelle Chloe.

— Pas de danger que tu oublies son prénom, hein?

Elizabeth s'élança sur le trottoir vers Times Square et le Stardust Diner.

— Attends-moi! Tu sais bien que ce n'est pas sérieux. Ce ne sont que des regards échangés entre…

— Des regards échangés? Tu penses qu'elle aurait peut-être des sentiments pour toi, elle aussi?

— Des sentiments? Mais voyons, mon amour! Je n'ai pas de *sentiments* pour cette fille. Je la trouve belle et attirante, c'est certain. Il aurait fallu que je sois en bois pour ne pas la remarquer.

Elizabeth regarda Rick avec les yeux écarquillés.

— C'est gentil! Merci! lança-t-elle, indignée, avant de reprendre son chemin.

Rick fit deux bonds pour lui bloquer le passage.

— Je t'aime. Tu ne devrais pas te sentir menacée par une autre belle fille. Ce n'est pas parce que je la trouve attirante que j'ai moins envie d'être avec toi. Au contraire!

— Qu'est-ce que tu veux dire? Que lorsque tu vas m'embrasser, tu vas penser à elle, c'est ça?

Rick poussa un soupir de découragement.

— Tu aurais préféré que je fasse semblant de ne pas la trouver belle?

Elizabeth eut une seconde d'hésitation avant d'émettre une réponse qu'elle savait ridicule, en plus d'être fausse.

— Oui.

Rick sourit avant de répondre:

— D'accord. Chloe est la fille la plus hideuse, la plus repoussante et répugnante que j'aic vue de ma vie. En plus, je suis certain qu'elle sent mauvais et qu'elle a une haleine de jument qui souffre de gingivite.

Elizabeth tenta de garder son sérieux, mais elle finit par pouffer de rire après seulement quelques secondes.

— Il y a sûrement d'autres gars que tu trouves beaux à part moi, non ? C'est normal.

Elizabeth plissa les yeux.

— Qu'est-ce qui te dit que je te trouve beau ?

Rick sourit. L'humour d'Elizabeth avait été une des premières choses qui l'avait séduit. Elle s'approcha de lui et l'embrassa passionnément.

— Excuse mon haleine du matin…

Ensemble, ils se mirent à rire.

— Allez, viens, avant qu'une autre belle fille n'attire ton regard.

— Oh, regarde celle-là ! blagua Rick en pointant le doigt vers un groupe de passants.

Elizabeth frappa l'épaule de Rick du revers de la main et se mit à courir vers le centre de Manhattan, son amoureux à ses trousses.

†

Mamie Loulou entraîna Sarah dans le Washington Square Park, devant l'hôtel, dans le but que leur envol se fasse le plus discrètement possible, loin des regards des mortels.

— Tu es vraiment certaine que tu veux rentrer tout de suite? tenta une dernière fois la grand-mère.

— Tu veux vraiment que je réponde?

Vaincue, Loulou haussa les épaules, avant d'enlacer Sarah. Puis elle s'élança sur un coin de verdure pour prendre son envol. Après avoir survolé l'arche du square, Loulou eut une idée.

— Sarah, je… je ne me sens pas bien. Je crois que… je devrais m'arrêter pour manger.

— Ah non, mamie! Je veux rentrer à Québec tout de suite!

— Je sais, mais… je n'en aurai pas la force. Mon corps exige que je fasse le plein de nourriture. On prendra quelques minutes pour manger, et après il y aura moins de danger que je m'écrase, tu comprends?

Sarah poussa un soupir de découragement. Loulou sourit sournoisement, fière de son coup.

Quelques minutes plus tard, le duo se posait sur la terrasse près de la piscine intérieure du Sheraton Manhattan de la Septième Avenue, à quelques pas de Times Square.

— Wow! C'est vraiment impressionnant, la ville, hein, mamie?

— Tu comprends maintenant pourquoi je suis triste de repartir si vite?

Sarah grogna un peu. Elle n'avait pas voulu donner un argument à sa grand-mère, mais elle comprenait

133

cette dernière. Cependant, Sarah tint son bout, déterminée à mettre toute la saga Dracula derrière elle.

— Oh, regarde! dit mamie Loulou, sur un ton de surprise un peu trop appuyé. J'adore les enseignes rétro, comme ça. Ellen's Stardust Diner. Ça me rappelle mon jeune temps. Si on allait manger là?

Sarah haussa les épaules. Un endroit ou un autre, cela lui importait peu, en autant que l'on mangeait rapidement et que l'on reprenait la route – ou plutôt les airs! – pour Québec au plus coupant.

— On descend? demanda Loulou.

Sarah accepta. Elle se laissa encore envelopper dans les bras de Loulou qui s'élança dans le vide et se posa devant le restaurant. Quelques passants jetèrent un regard contrarié à la vieille femme en la sentant atterrir près d'eux, mais personne ne réalisa comment elle était apparue à leurs côtés.

— On mange rapidement et on repart tout de suite, promis? demanda Sarah.

— Oui, oui, répondit placidement Loulou, néanmoins agacée par l'attitude négative de sa petite-fille.

Lorsqu'elles pénétrèrent dans le resto, elles furent accueillies par un beau grand jeune homme portant un costume de serveur des années 1950. À ses côtés, une jolie petite serveuse tout de rose vêtue, coiffée d'une grosse boucle assortie, chantait *Que Sera Sera*, le vieux tube de Doris Day de 1956, en faisant tournoyer sa longue jupe ornée d'un caniche noir et blanc. Sarah avait l'impression d'avoir été parachutée sur le plateau de tournage du film *Grease*!

Pendant que le serveur escortait vers leur table Sarah et sa grand-mère, celle-ci regardait les nombreux objets souvenirs et les encadrements qui ornaient les murs et rappelaient l'époque Motown et les débuts du rock'n'roll. Seuls les téléviseurs modernes diffusant des émissions d'aujourd'hui détonnaient dans le décor.

— Ah! J'adore ça! Pas toi? demanda Loulou, nostalgique et euphorique à la fois.

— Ouais, ouais, dit Sarah sans grand enthousiasme.

La jeune fille n'osait pas avouer que cet endroit lui plaisait bien, que la serveuse-chanteuse avait une voix digne des grands *musicals* de Broadway et que le serveur qu'elle suivait vers sa table ne lui faisait pas mal aux yeux... même de dos!

— *Enjoy your meal!* dit le jeune homme en s'écartant du chemin pour indiquer à ses deux clientes la table à banquettes qu'il avait choisie pour elles.

Avant de prendre place, Sarah, qui souriait béatement au délicieux serveur-chanteur-danseur qui avait ouvert les valves de son charisme à plein régime pour charmer la jeune fille et son aïeule, fut tirée de sa rêverie par une voix provenant de la table voisine.

— Bonjour, Sarah...

Quand la préadolescente se tourna, son sourire tomba. Ses yeux se posèrent tour à tour sur Elizabeth, Milos et Rick, tous assis là comme s'ils l'attendaient.

Sarah se crispa. Ramenant brusquement son regard vers Louise, elle lança :

— C'était prévu, cette embuscade ?

Louise baissa les yeux.

— Sarah…

La jeune fille était sur le point d'éclater lorsque des applaudissements généreux retentirent dans le restaurant.

— *Thank you! Thank you so much!* dit la serveuse-chanteuse qui terminait sa chanson.

Sarah comprit que ce n'était ni le moment ni l'endroit pour faire une crise. Elle prit place sur la banquette qui lui était proposée par le serveur en prenant soin de le reluquer de son plus beau regard de séductrice.

— *Thank you!* souffla-t-elle poliment.

Pendant un moment, tout le monde garda le silence, mal à l'aise. Le serveur qui avait accompagné Sarah et Louise à leur table s'empara du micro, salua les clients, se présenta comme étant Jon, et entreprit de chanter le vieux classique *Can't Take My Eyes off You* de Frankie Valli. Sarah rougit.

— Est-ce que tu vas bouder longtemps, jeune fille ? risqua Loulou.

— J'écoute la chanson, répondit froidement Sarah qui ne quittait plus Jon des yeux.

Elle était déterminée à se convaincre qu'il chantait juste pour elle, ce qui lui ferait oublier la présence de tous ces traîtres autour d'elle.

136

Loulou se tourna vers Milos, Elizabeth et Rick en haussant les épaules comme pour dire: «Je suis désolée.»

CHAPITRE 11

Bucarest, 21 octobre

— Qu'est-ce que vous avez dit? demanda Oleana Popescu en se tournant vers le chef Morneau, debout derrière elle.

L'homme rondelet demeura immobile pendant quelques secondes qui lui parurent plus longues que l'éternité.

— Ils… ils vous le disent clairement. Ils vous aiment.

Le visage de la gouvernante reprit son air cramoisi.

— Ils m'aiment, mais ils sont maintenant des vampires!

Le chef Morneau inspira profondément avant de poser sa main potelée sur l'épaule de madame Popescu.

— Moi aussi, je vous aime, Oleana… et je ne suis pas un vampire.

Fort bouleversée par ce qu'elle avait appris en lisant le message de Milos, la gouvernante se leva et enlaça son ami, désespérément en manque d'affection et de réconfort. Le chef Morneau accueillit la pauvre femme dans ses bras et résolut de remettre à plus tard la discussion qui aurait dû s'ensuivre après une déclaration comme celle qu'il venait de faire. En fermant les yeux, il se gronda d'avoir choisi un moment si inadéquat pour dévoiler ses véritables sentiments à celle qu'il convoitait depuis tant d'années.

— Ces pauvres enfants! Ils ne savent pas dans quelle galère ils se sont embarqués…

Morneau ne put s'empêcher de penser qu'il était étrange qu'ils parlent encore des enfants Dracula alors qu'ils venaient de franchir un pas important dans leur relation à eux. Comment Oleana pouvait-elle faire fi de ce qu'il venait de lui dire? Comment pouvait-elle être plus préoccupée par l'avenir des enfants du maître que par son propre bonheur? Était-elle à ce point généreuse, désintéressée, magnanime? Ou était-ce parce qu'elle ne savait pas comment lui dire que les sentiments qu'il avait pour elle n'étaient pas réciproques?

— Ils ont tous les trois une tête solide, Oleana. Ils savent ce qu'ils font et ils semblent heureux.

La gouvernante demeura bouche bée un moment avant de plonger ses yeux dans ceux du cuisinier.

— Vous croyez?

Pendant qu'il pensait à tout l'amour qu'il avait pour cette femme qui le regardait avec tant d'espoir, Morneau souffla doucement:

— Je n'ai jamais été aussi certain de ma vie.

Oleana serra son ami un peu plus fort et posa ses lèvres sur les siennes. Après le baiser, la gouvernante murmura :

— Moi aussi, je vous aime, Jean-Jacques.

Le cuisinier faillit défaillir.

— Vous serez toujours mon meilleur ami.

Le pauvre homme se sentit perdu. Comment Oleana pouvait-elle l'embrasser et, ensuite, lui dire qu'ils n'étaient qu'amis ? C'était insensé. Il réfléchit un moment. « Insensé comme cette situation avec les enfants », conclut-il, se raccrochant à la raison pour éviter que son cœur ne s'effrite.

Madame Popescu n'avait clairement pas le cœur à l'amour. « Mais l'a-t-elle déjà eu ? » se demanda Jean-Jacques Morneau. Il ne pouvait s'imaginer qu'elle n'ait jamais été amoureuse, elle qui était si passionnée, si vibrante, si émotive et si chaleureuse. Mais elle n'avait jamais parlé de ses amours, de sa vie personnelle, des hommes qu'elle avait connus… Soudain, le cuisinier se passa une réflexion troublante qui ne lui avait jamais traversé l'esprit. « Aime-t-elle les hommes ? » Il écarquilla les yeux et devint rouge comme une pivoine, comme s'il venait de découvrir un grand secret qui lui faisait perdre pied.

— Qu'y a-t-il ? demanda la gouvernante, remarquant l'air changé de son ami.

— Ce qu'il y a ? répéta le chef pour gagner du temps. Il y a que… je… Aimez-vous moi, les hommes ?

Des points d'interrogation apparurent dans les yeux de madame Popescu.

— Vous me demandez si vous aimez les hommes?

Horrifié, monsieur Morneau réalisa que la dernière phrase qu'il avait dite n'avait ni queue ni tête.

— Euh… non. Je… je me demandais si *vous* aimiez les hommes. Parce que… moi, je vous aime. Et… je suis un homme… et je… je suis un homme qui aime une femme. Vous.

Malgré la gravité de la situation des enfants Dracula, le cœur d'Oleana Popescu s'allégea soudainement et elle gloussa.

— Vous avez une façon de dire les choses, grand fou! s'exclama-t-elle enfin.

Frustré de se sentir incompris, monsieur Morneau inspira profondément et lâcha:

— Je suis amoureux de vous, Oleana. Je vous aime depuis le premier jour. Vous êtes l'amour de ma vie, l'épice de mon existence, la rose au milieu de mon bouquet de fleurs sauvages, la pomme dans ma tarte aux framboises!

Voyant qu'il commençait à déraper sérieusement, madame Popescu s'approcha de son ami et posa une main sur sa bouche. Elle sourit et souffla délicatement:

— J'ai compris. Arrêtez maintenant… avant de me traiter de grosse tarte!

Les yeux du chef Morneau s'agrandirent.

— Je sais. Vous ne feriez jamais ça. Pas par exprès, mais… on ne sait jamais!

La gouvernante retira sa main sans quitter le cuisinier des yeux.

— Alors vous comprenez maintenant? demanda l'homme.

— Je le savais depuis longtemps, mais je ne pouvais pas me l'avouer à moi-même. J'avais trop peur de ce qui arriverait si notre amitié changeait.

Heureux, Jean-Jacques Morneau s'emporta encore.

— Mais notre amitié ne changera jamais, ma douce. Nous serons toujours d'abord et avant tout des amis. Je ne voudrais jamais vous perdre comme complice. J'en mourrais! J'espère que nous pourrons aller plus loin pour que cette amitié s'épanouisse toujours.

Impressionnée, madame Popescu rigola.

— J'étais certaine que vous saviez parler aux femmes!

Monsieur Morneau rougit de pied en cap. Madame Popescu enlaça son bien-aimé et l'embrassa plus longuement qu'elle ne l'avait fait précédemment.

Florent Larouche choisit ce moment inopportun pour venir rejoindre ses invités dans le bureau. Il lança, coquinement et sans subtilité aucune:

— Hé, ho, les amoureux! Vous êtes prêts pour un festin digne d'un roi?

CHAPITRE 12

New York, 21 octobre

Lorsque le chanteur-serveur eut terminé sa chanson, Elizabeth et Milos se jetèrent un regard complice et profitèrent des applaudissements et de l'inattention de leur jeune sœur pour venir s'installer à la table de celle-ci. Elizabeth s'installa à côté de Sarah, la coinçant ainsi dans le fond de la banquette, et Milos prit place près de Louise, de l'autre côté.

— Qu'est-ce que vous faites ? s'indigna Sarah. Je n'ai rien à vous dire. Retournez à votre table.

Elizabeth et Milos ne bronchèrent pas, se contentant de quérir du regard l'approbation de Louise, qui souriait à belles dents.

Rick vint se joindre au quatuor. Il prit place près d'Elizabeth.

— Tu veux vraiment me faire croire que vous n'aviez pas tout manigancé ça ensemble ? lança Sarah à Louise.

— Nous avons tout manigancé ça, comme tu dis, parce que nous t'aimons, Sarah, répondit Elizabeth avant que Louise ne puisse prendre la parole.

— Vous m'aimez? Vous m'aimez tellement que vous m'avez trahie!

— Bon, là, c'est assez! trancha Louise. Tu te comportes comme un bébé gâté. Personne ici n'a choisi de voir sa vie chamboulée par ce coup de dés du destin. Personne ici ne s'est levé un matin en se disant: «Comme ce serait agréable de devenir un vampire.» Nous avons tous été victimes des circonstances, et maintenant, nous devons faire avec. Alors cesse de bouder, Sarah Duvall, et… assume!

Les yeux de Sarah étaient grands comme des deux dollars. Elle avait l'habitude de se faire remettre à sa place par Louise, mais c'était évidemment la première fois que sa grand-mère le faisait devant sa nouvelle famille. C'était plutôt humiliant! Elle rougit – à la fois d'humiliation et de colère – et poussa un soupir d'exaspération.

— Moi, tout ce que je veux, c'est manger et rentrer à la maison, maugréa-t-elle sans regarder ses interlocuteurs.

Comme s'il l'avait entendu, un serveur s'approcha de la table et demanda:

— Bonjour. Est-ce que vous êtes prêts à commander?

Sarah n'en crut pas ses oreilles. Elle releva la tête si rapidement qu'elle sentit une douleur dans son cou.

— Qu'est-ce que vous faites ici, vous?

Louise, qui n'avait pas porté une attention particulière au serveur même si elle avait été étonnée d'être abordée en français dans un resto familial de New York, regarda le grand serveur maigrichon au lourd accent. Elle s'exclama :

— Bonjour, docteur Dumitru ! Quelle coïncidence !

Sarah leva les yeux au plafond.

— Mamie ! Franchement ! Il n'est pas médecin et il n'y a aucune coïncidence là-dedans. Vous vous êtes recyclé dans le service aux tables, maintenant ? Vous l'avez choisie, la place ! Je ne savais pas que vous saviez chanter aussi, monsieur Mouditru.

Pour leur part, Rick et Elizabeth regrettaient de ne pas avoir été plus attentifs dans leurs cours de français à l'école.

— Dumitru, Sarah.

— Ouais, ouais, ouais…

Sentant la confusion d'Elizabeth et de Rick, l'homme de main de Dracula, temporairement réincarné en serveur aspirant comédien-chanteur-danseur de Broadway, poursuivit en anglais.

— Ton frère et ta sœur n'ont pas fait ça contre toi, mais pour la famille.

Elizabeth et son amoureux prirent un air soulagé. Ils pourraient enfin suivre la conversation !

— La famille ? Quelle famille ? s'indigna Sarah.

Louise soupira.

— Tu sais très bien ce que veut dire monsieur Dumitru. Ne sois pas de mauvaise foi, Sarah.

— Je ne veux pas faire partie de cette famille-là.

Un malaise général s'installa et, bien malgré eux, Milos et Elizabeth sentirent les larmes leur monter aux yeux.

— Vous n'aurez qu'à me faire signe lorsque vous serez prêts à commander.

Monsieur Dumitru s'éloigna pendant qu'une autre jeune serveuse-chanteuse prenait le micro pour y aller de sa prestation.

— Comment peux-tu dire ça après ce que nous avons vécu ensemble? demanda Elizabeth en plongeant son regard dans celui de sa petite sœur.

Sarah ravala difficilement, émue et bouleversée.

— J'aurais voulu que nous devenions vampires en même temps ou, du moins, que… Je ne sais pas…

Sarah laissa sa tête retomber dans ses mains. Les regards des autres s'emplirent de compassion. Enfin, la jeune fille faisait s'écrouler le mur qu'elle avait érigé pour se protéger de la douleur.

— J'ai dû faire face à des situations très particulières, Sarah, justifia Elizabeth avant de raconter à sa petite sœur son retour en terre irlandaise, l'accueil froid que lui avait réservé Rick, l'accident de la route de ce dernier qui avait tout changé pour elle et son ami…

Sarah écouta toute l'histoire sans broncher, comme si on lui avait raconté un film hollywoodien. Lorsque Elizabeth eut terminé son récit, Milos prit la relève et narra à Sarah toutes les péripéties qui avaient précipité sa propre entrée dans la cohorte. La jeune fille demeura sans voix.

— Tu vois ? Rien de cela n'a été fait *contre* toi, conclut Elizabeth. Nous respectons totalement ton besoin de ne pas devenir vampire tout de suite…

— Ou jamais… ? coupa Sarah.

— Ou jamais, répéta Milos.

Sarah sembla rassurée. Elizabeth reprit là où elle avait été interrompue :

— … mais nous avons choisi… en fait, *j'ai* choisi… je ne sais pas pour Milos… de devenir vampire parce que je me suis rendu compte que je l'avais toujours été, au fond. Ça coulait déjà dans mes veines. Je sentais déjà que j'appartenais à la cohorte… sans le savoir. Tu comprends ?

Milos ne donna pas le temps à Sarah de répondre.

— C'est la même chose pour moi.

Sarah regarda tristement son frère et sa sœur. Bien qu'elle ait toujours été un peu marginale, plus « nocturne » et plus « sombre » que ses amis, elle ne pouvait pas dire qu'elle s'était déjà sentie vampire !

— Mais tu seras toujours notre petite sœur, tenta finalement Milos. Peu importe ce qui arrivera, nous t'aimerons toujours.

La jeune fille sentit une puissante boule d'émotions lui monter dans la gorge. En même temps, une douce chaleur s'empara d'elle.

— Moi aussi, je vous aime trop, avoua-t-elle enfin en enlaçant Elizabeth à défaut de pouvoir faire la même chose à Milos qui se trouvait de l'autre côté de la table. Promettez-moi que nous ne nous perdrons jamais… même si nous n'habitons pas près les uns des autres.

En chœur, Milos et Elizabeth promirent en levant la main droite comme s'ils prêtaient serment. Toute la tablée se mit à rire.

— Vous êtes prêts à commander? demanda Dumitru qui avait interprété les mains levées comme un signe et avait aussitôt accouru.

— Mettez-en! J'ai une faim de loup! lança Sarah.

CHAPITRE 13

New York, 21 octobre

Après le petit-déjeuner qui se déroula dans le bonheur et les fous rires, Milos, Elizabeth, Sarah, Louise et Rick sortirent sur le trottoir de Broadway. Milos et ses sœurs se lancèrent spontanément dans un grand câlin collectif qui cimenta à tout jamais leur union, leur alliance. Jamais plus ils ne se brouilleraient, jamais plus il n'y aurait des malentendus ou de la paranoïa dans leurs relations. Du moins, c'est ce qu'ils souhaitaient…

— Je vais tellement m'ennuyer! Je déteste les au revoir, avoua Sarah.

— Voilà une autre chose que nous avons en commun, dit Elizabeth, mi-figue, mi-raisin. Mais nous nous reverrons sans doute très bientôt puisqu'il ne reste que dix jours avant la fête des Morts.

Cette affirmation jeta tout le monde dans la consternation.

— Ne pensons pas à ça maintenant! déclara Milos avec un sourire forcé. Allez! C'est un moment joyeux!

Il fit une petite danse ridicule au milieu du trottoir, ce qui fit rire ses sœurs, Louise et Rick.

— Ce serait tellement génial que vous puissiez venir à mon bal costumé au Petit Séminaire vendredi soir, lança Sarah comme un souhait formulé au passage d'une étoile filante.

Milos et Elizabeth se regardèrent. Puis cette dernière alla chercher le consentement de Rick du regard. Elle accepta ensuite l'invitation de sa petite sœur.

— Hein? fit Sarah, éberluée. Tu vas venir?

— Pourquoi pas? Je suis un vampire, non? Et c'est un bal d'Halloween. C'est parfait pour moi. Je me déguiserai et je trouverai une façon de me joindre à la fête.

Louise fronça les sourcils. Elle n'était pas convaincue qu'il s'agissait là d'une bonne idée, mais elle ne voulait pas briser ce qui venait de renaître entre Elizabeth et Sarah. Le cœur de la plus jeune battait à tout rompre, tout heureuse à la pensée de présenter sa grande sœur à ses amis et à Simon, son futur – nouvel? – amoureux, espérait-elle.

— Tu viendras aussi, Milos? demanda Elizabeth.

Ce dernier haussa les épaules.

— Je ne sais pas si je pourrai puisque je dois faire le *Picture Show* vendredi prochain, maintenant que je suis un régulier… Mais peut-être que je pourrais y aller d'une petite apparition au début de la soirée et revenir ici à temps?

Sarah reconnut en elle-même que ça pouvait se révéler très pratique d'être un vampire! Tout excitée, elle sauta dans les bras de son frère et de sa sœur.

— Yahou! Pour vrai? Vous allez vraiment venir à Québec? Wow! C'est trop *cool*! J'ai tellement hâte que vous fassiez la connaissance de Jolane, Francis, Simon…

— Ton beau Simon? dit Elizabeth, taquine.

Sarah rougit.

— Oui, mon beau Simon! répliqua-t-elle.

Les autres gloussèrent.

— J'ai hâte de voir comment tu vas nous présenter, Sarah! ironisa Milos.

— Tu peux bien rire, Milos Menzel! envoya Elizabeth. Tu n'as pas encore été capable de dire à Matthew et à Océane ce que tu es devenu. J'aimerais bien voir comment tu t'y prendras quand tu te décideras à parler.

Milos eut un petit rictus sournois.

— Maintenant que tu as des pouvoirs de vampire, avança Milos, tu peux te changer en mouche et m'observer quand tu veux.

Elizabeth poussa un petit cri d'horreur et se couvrit les yeux.

— Ah! Arrête, Milos! Je suis visuelle!

Tous s'esclaffèrent.

— Alors on rentre à la maison, Sarah? demanda Louise.

— Ah non! protesta la jeune fille. Je ne veux plus partir.

— Doux Jésus! Que ça me rappelle donc quand tu étais petite! Très souvent, tu ne voulais pas aller quelque part et, lorsque tu y étais, tu ne voulais plus repartir. Plus ça change, plus c'est pareil! Allez, un dernier bisou à tout le monde et on rentre. Tes parents nous attendent.

Sarah poussa un petit grognement. N'avait-elle pas laissé comme message à Lyne et David qu'elle ne rentrerait probablement pas avant dimanche soir? Pas nécessaire de se presser…

— Nous nous verrons vendredi, affirma Milos.

Elizabeth et Sarah échangèrent un regard rempli d'espoir.

— Super! Alors à vendredi! dit Sarah en embrassant une dernière fois son frère, sa sœur et l'amoureux de celle-ci.

Après le départ de Louise et de Sarah, Elizabeth lança:

— Je me demande en quoi je me déguiserai.

Rick enlaça la taille de son amoureuse avant de dire:

— *The possibilities are endless!*[2]

---

[2] Les possibilités sont infinies!

Puis il l'embrassa.

— Alors… qu'est-ce qu'on fait maintenant? demanda Elizabeth en regardant tour à tour son amoureux et son frère.

Milos prit un air sérieux.

— Je ne sais pas pour vous, mais moi, j'ai pas mal de pain sur la planche. Il faut que je m'assoie avec Océane et Matthew, et que je leur dise tout. Si je veux vraiment faire ma vie avec elle… et c'est ce que je veux vraiment… je ne peux plus lui mentir ou lui servir des demi-vérités.

Elizabeth et Rick prirent un air solennel. Ils comprenaient ce qui torturait Milos puisqu'ils devraient eux aussi faire face à la musique, tant avec leurs parents qu'avec leurs amis.

— Alors je vous laisse, décida Milos. Elizabeth, je te verrai vendredi.

Il embrassa sa sœur et serra son beau-frère dans ses bras. Elizabeth fut touchée par l'attention de Milos et sentit que son amoureux avait en quelque sorte reçu le sceau d'approbation de son frère.

— Soyez prudents. Vous êtes beaux ensemble. Je suis content que tout aille bien pour vous deux.

Après que Milos les eut quittés, Rick et Elizabeth s'embrassèrent de nouveau.

— Ça te tente de survoler le flambeau de la statue de la Liberté? demanda Rick, fébrile.

Comme deux enfants qui préparent un mauvais coup, ils s'élancèrent sur le trottoir de Broadway, zigzaguant entre les piétons pressés. Puis ils bifurquèrent dans une ruelle et prirent leur envol.

En marchant vers chez lui, Milos aperçut Elizabeth et Rick dans les airs. Il prit garde de ne pas trop fixer le ciel pour éviter d'attirer l'attention des passants. Il se contenta de sourire, et poursuivit son chemin en pensant à Océane et à Matthew.

«Le plus vite je mettrai Océane et Matthew dans le secret des dieux, le mieux ce sera», se dit-il, déterminé.

CHAPITRE 14

New York, 21 octobre

Pendant plusieurs heures, Rick et Elizabeth survolèrent l'île de New York, son port, la rivière Hudson jusqu'à l'embouchure où se trouve Liberty Island et la célèbre statue de la Liberté – cadeau des Français aux États-Uniens et symbole universel de la lutte contre l'oppression.

Une grande euphorie s'empara des amoureux devant la magnificence de ce monument si impressionnant et si vibrant de signification profonde.

— Je ne me suis jamais sentie aussi libre que depuis que je suis dans tes bras, mon amour, communiqua Elizabeth à Rick télépathiquement.

Ce dernier sourit et s'approcha pour embrasser Elizabeth en plein vol. Ils atterrirent à l'étage de la torche de lady Liberty, là où le public n'a pas le droit de mettre les pieds depuis 1916, et se laissèrent bercer par le vent de la baie, les yeux fermés, buvant l'air à grandes lampées.

«Qui aurait cru que je pourrais faire ça un jour? demanda Rick télépathiquement. Tout ça ne serait pas possible sans toi, ma princesse.»

Elizabeth sourit à Rick, agrippa sa main et plongea dans le vide, la tête la première vers la base de la statue. Ensemble, ils se ressaisirent en arrivant près de la taille de la grande dame. Ils se remirent à voler pour ceinturer son énorme toge de cuivre avant de s'en retourner vers leur hôtel pour y récupérer leurs sacs à dos.

Ils posèrent les pieds dans une ruelle discrète, voisine du Washington Square Hotel.

— Je suis comme Sarah, affirma Elizabeth en retenant Rick dans la ruelle.

— Qu'est-ce que tu veux dire ?

— Je n'ai plus le goût de quitter New York.

— Je comprends. C'est vraiment génial, ici. Mais tu sais, nous pourrons revenir quand nous voudrons. Plus rien ne peut nous en empêcher maintenant.

Elizabeth sourit et serra la main de Rick pour lui signifier que tout allait pour le mieux. Ensemble, ils contournèrent l'hôtel puis y pénétrèrent par le hall d'entrée. Le visage de Rick s'illumina lorsqu'il aperçut Chloe derrière le comptoir de service.

— Vous avez bien mangé ? demanda spontanément la jeune femme.

Elizabeth fronça les sourcils, étonnée.

— Euh… oui. Nous avons bien mangé. Tu… travailles toujours ici, Chloe ?

L'énigmatique employée eut un petit sourire qu'elle souhaitait complice mais Elizabeth le perçut comme narquois.

— C'est ma dernière journée.

Elizabeth sourit à son tour. Son air ne laissait toutefois pas de place à l'interprétation. Elle n'aimait pas cette fille… surtout pas l'effet qu'elle avait sur Rick.

— Tu… travailles où, habituellement? demanda le jeune homme.

— Je suis assez… flexible, répondit Chloe, énigmatique. Je ne sais jamais où j'atterrirai, mais c'est ce que j'aime de ma… profession.

Elizabeth plissa les yeux.

— En tout cas, ce serait génial de se revoir, lança Rick avec un enthousiasme un peu trop appuyé au goût de son amoureuse.

Ne tenant aucunement compte du langage corporel d'Elizabeth, Chloe rosit légèrement et minauda :

— Je suis certaine que nous nous recroiserons un jour.

Rick sentit des papillons de bonheur virevolter dans son ventre. Le regard de Chloe lui procurait une impressionnante montée de testostérone. Lisant dans les pensées de Rick, Elizabeth sentit une grande fureur l'envahir.

— Bon! Rick, il faudrait que tu ailles chercher nos sacs dans la chambre pendant que je règle la note avec Chloe.

Le ton sec d'Elizabeth tira Rick de sa rêverie.

— Euh… ouais. D'accord. J'y vais tout de suite.

Pendant que Rick se dirigeait vers l'ascenseur, Elizabeth se tourna vers Chloe en tirant de la profonde poche de sa longue jupe noire l'enveloppe remplie d'argent qu'elle gardait précieusement sur elle.

— Ce n'est pas nécessaire, dit Chloe en souriant gentiment. La chambre a déjà été réglée.

— Par qui? demanda Elizabeth, agacée.

— Tu ne t'en doutes pas?

Elizabeth soupira, contrariée.

— Je croyais que la généreuse allocation qu'il nous a laissée était pour nous aider à régler toutes ces petites dépenses courantes…

Chloe avait déjà imprimé la facture; elle la remit à Elizabeth en bonne et due forme. L'adolescente y aperçut un numéro de carte de crédit. À qui appartenait cette carte de crédit? Comment son père biologique pouvait-il payer des chambres d'hôtel et continuer à se faire passer pour mort? Sans doute était-ce un autre de ses laquais qui réglait ce genre de choses…

— Au plaisir de vous accueillir à nouveau au Washington Square Hotel, déclara Chloe, à la fois chaleureuse et officielle.

Elizabeth se contenta d'un «Ouais!» ironique et se détourna du comptoir. Soudain, elle se sentit coupable et son visage s'adoucit. Elle revint vers la jeune femme.

— Chloe…

— Oui?

— Je… je te demande pardon.

— Pourquoi?

— Parce que… j'ai été désagréable avec toi alors que je te dois beaucoup. Si tu n'avais pas été là, Rick serait probablement mort. Je n'aurais pas su quoi faire si tu ne nous avais pas aidés. Merci.

— Ah, mais ce n'est rien. J'étais là pour ça.

— Je l'ai bien compris, mais… merci quand même.

Toujours aussi professionnelle et agréable, Chloe se contenta de sourire à Elizabeth pour lui faire comprendre qu'il n'y avait pas de mal, qu'elle ne lui en voulait pas du tout, que tout était clair et réglé entre elles. Elizabeth sourit à son tour, soulagée, et se dirigea vers l'ascenseur pour attendre le retour de Rick. Celui-ci ne tarderait pas à revenir avec les bagages.

Lorsque la porte de l'ascenseur s'ouvrit et qu'Elizabeth aperçut son amoureux, elle donna à peine le temps à celui-ci de sortir de la cabine avant de l'enlacer fougueusement et de plaquer sa bouche sur la sienne pour l'embrasser avec passion et sensualité. Surprise, Rick échappa les sacs à dos et répondit favorablement au baiser de plus en plus charnel de sa compagne. Elizabeth était tellement déchaînée que le jeune homme se demanda si elle n'allait pas lui arracher ses vêtements sur le dos, là, tout de suite, au milieu du hall d'entrée de l'hôtel ! Il appréciait tellement cet échange qu'il commençait à perdre la tête ; il aurait probablement laissé faire Elizabeth si elle avait décidé de le déshabiller !

Tout en embrassant Rick et en passant ses doigts dans les cheveux de son copain, Elizabeth se mit subitement à réfléchir à son comportement. Qu'est-ce qui lui prenait ? Pourquoi s'était-elle ruée sur Rick comme une bête sauvage ? Oui, elle l'aimait. Oui, elle adorait être dans ses bras. Oui, elle raffolait du goût et de la sensation de sa bouche sur la sienne, et aussi des frissons qui parcouraient son corps lorsque Rick caressait le creux de son dos… Mais pourquoi là, maintenant ? Embrassait-elle Rick pour les bonnes raisons ? Le faisait-elle seulement dans l'espoir que Chloe les aperçoive et qu'elle comprenne une fois pour toutes que Rick lui appartenait ? Une culpabilité tirailla soudainement Elizabeth, qui mit aussitôt fin à l'étreinte.

— Partons maintenant. Je ne veux plus être à New York.

Étourdi et un peu perdu, Rick reçut la phrase comme une gifle. Il mit quelques secondes à répondre :

— Euh… mais… tout à l'heure, tu as dit que tu ne voulais plus quitter New York. Maintenant, tu ne veux plus y être. Qu'est-ce qui s'est passé ?

Elizabeth n'avait pas envie de se justifier ou de s'expliquer, mais elle savait qu'elle ne pourrait s'en sortir sans offrir un minimum d'explications à son amoureux.

— Tu le sais, Rick. Je n'aime pas les longs adieux.

Ce dernier secoua la tête.

— Je comprends, mais… nous partons ensemble.

— Je ne veux pas faire de longs adieux à New York. Voilà ce que je veux dire.

Encore une fois, des points d'interrogation s'affichèrent dans les yeux de Rick. Pas de doute, Elizabeth était difficile à suivre.

— D'accord. Nous pouvons partir maintenant, si c'est ce que tu veux.

— Alors allons-y, dit Elizabeth, visiblement soulagée, avant d'enfiler son sac sur son dos.

Elle se dirigeait vers la porte principale de l'hôtel lorsqu'elle entendit Rick déclarer, derrière elle :

— Mais je vais quand même aller dire au revoir à Chloe avant de partir…

Sentant la moutarde lui monter au nez, Elizabeth s'arrêta net, inspira profondément et marmonna :

— Reste donc avec ta Chloe, si c'est ce que tu veux ! Moi, je m'en vais maintenant !

Rick n'entendit pas les paroles d'Elizabeth. Il marchait déjà vers le comptoir. Cherchant la belle rousse des yeux, il ne vit pas son amoureuse sortir d'un pas décidé.

— Chloe ? Chloe ?

Un vieil homme en habit parut derrière le comptoir.

— Je peux vous aider?

— Euh… oui. Je… je cherche une employée qui travaille ici. Elle s'appelle Chloe.

Le vieil homme dévisagea Rick et lui répondit poliment:

— Je suis désolé. Il n'y a pas de Chloe qui travaille ici, monsieur.

Malgré son envie de s'écrier: «Mais voyons! Il y a quelques minutes, elle était juste là où vous vous tenez présentement!», Rick choisit de ne pas répondre. Il se contenta de murmurer tristement:

— D'accord. Je suis désolé. Au revoir.

Tête basse, il se dirigea à son tour vers la porte principale de l'hôtel. Il jeta un œil autour de lui à la recherche d'Elizabeth avant de sortir, mais ne la vit pas. Il franchit le seuil et la chercha sur le trottoir. Toujours rien. Il leva les yeux vers le ciel et aperçut Elizabeth qui avait pris son envolée sans lui.

— ELIZABETH! ATTENDS-MOI!

CHAPITRE 15

New York, 21 octobre

Lorsque Milos ouvrit la porte de son appartement, il trouva une Océane très en colère, les traits tirés, les yeux bouffis.

— Océane ? Qu'est-ce qui t'arrive, mon amour ?

La jeune femme le fusilla du regard.

— Mon amour ?

Milos avait visiblement fait quelque chose qui avait déplu à sa belle. Il repassa rapidement dans sa mémoire les dernières heures, les derniers jours. Rien. À moins que…

— Tu avais l'intention de me dire tout ça quand, hein ? Quand, Milos ?

Ce dernier rougit, mal à l'aise. Il se sentait si coupable d'avoir joué dans le dos d'Océane avec Cassandra.

— Excuse-moi. Tu sais, quand je t'ai rencontrée, je fréquentais déjà d'autres filles. Deux autres, en fait, et…

— Mais de quoi parles-tu ?

Les joues de Milos passèrent du rouge au pourpre. Il venait de se mettre sérieusement les pieds dans les plats, mais il ne réfléchit pas avant de demander :

— Tu ne me parles pas de Cassandra ?

— De qui ?

Décidément, Milos ne comprenait rien à ce qui se passait. Il décida de garder le silence. C'était la meilleure façon de ne pas s'enliser davantage.

— Milos, réponds-moi ! Qu'attendais-tu pour me dire que tu es le fils du comte Dracula ? Que tu es un vampire ?

Le jeune homme reçut ces questions comme une tonne de briques. Il baissa la tête, honteux. Qui avait bien pu tout dévoiler à Océane ? À part ses sœurs, Louise et Rick, personne n'était au courant de cette histoire… sauf Cassandra. Et Océane ne semblait même pas savoir qui était la jeune femme rousse !

— Excuse-moi, mon amour.

Océane éclata :

— Cesse de m'appeler «mon amour» ! Tu n'en as plus le droit. Autant ces mots étaient doux à mes oreilles quand ils sortaient de ta bouche il y a quelques heures à peine, autant maintenant je les trouve laids et… ridicules !

Milos eut l'impression que sa vie basculait. Son cœur se mit à battre rapidement comme si sa fin était imminente.

— Laisse-moi t'expliquer, Océane. Tu comprendras tout. C'est justement parce que je t'aime que je ne savais pas par quel bout aborder cette histoire complètement folle qui m'est tombée dessus sans que je m'y attende.

À la fois exaspérée et incrédule, Océane se dirigea vers la cuisinette où elle agrippa un linge qu'elle mouilla d'eau froide avant de l'appliquer sur son visage pour effacer les traces de larmes salées qui brûlaient ses joues.

— J'avais l'intention de tout te dire dès mon retour de Roumanie, enchaîna Milos en haussant le ton pour s'assurer qu'Océane l'entendrait bien même si elle s'était éloignée.

— Tu étais en Roumanie ?! Tu ne t'es pas contenté de ne pas me dire la vérité, Milos, tu as monté une histoire de toutes pièces. Ton scénario avec le producteur qui voulait que tu réalises son film ? C'était quoi, ça ? Entre la Roumanie et le New Jersey, il y a tout un monde !

— Je sais, c'était stupide. Mais je sentais que je devais justifier mon absence et…

Océane lui coupa sèchement la parole en revenant vers le canapé.

— Mais pourquoi ? Qu'est-ce que tu avais tant à me cacher ?

Milos trouva la question pour le moins étrange.

— Tu es sérieuse ? Ce n'est pas rien, toute cette histoire, Océane ! Ma vie a changé du tout au tout en quelques heures. Appelle ça une crise d'identité instantanée ou… ce que tu voudras, mais je ne savais pas

comment m'adapter moi-même à tous ces change-
ments. Et je savais encore moins comment m'y prendre
pour les annoncer aux personnes qui me sont les plus
chères. Toi, Matthew, mes parents…

— Parlons-en de Matthew et de tes parents! Le
premier a passé toute ton absence à justifier ta disparition aux deux autres. Encore chanceux qu'ils habitent
au bout du monde! Qu'est-ce qu'il aurait fait, Matthew,
si tes parents avaient décidé de débarquer pendant que
tu étais parti?

Milos remercia le ciel que Grazia et Vaclav Menzel
habitent si loin. Il devrait néanmoins leur fournir à
eux aussi une bonne explication dans un avenir
rapproché. Ils lui avaient toujours caché son adoption.
Pourquoi? Savaient-ils qu'il était le fils de Dracula?
Que connaissaient-ils exactement de son passé, de ses
origines? Milos les avait toujours tellement aimés,
respectés. Ils avaient sans doute une excellente raison
de lui avoir caché ses véritables racines.

Devant Océane, il se contenta de baisser la tête. Il
fallait permettre à la jeune femme de se défouler, de dire
tout ce qu'elle ressentait.

Pour sa part, Océane ne pouvait se résoudre à l'idée
de se rasseoir près de Milos. C'était comme si, pour elle,
tout était brisé entre eux. Pourtant, si elle avait vraiment
cru que leur relation était terminée, elle ne serait pas
revenue chez lui…

— Mais en ne m'apprenant pas tout toi-même, tu as
laissé la tâche à un pur inconnu, qui m'a foutu la trouille
la nuit dernière.

— Un inconnu?

— Oui, un bonhomme qui se faisait passer pour un sans-abri et qui…

— Mon père?

— Non. Un de ses laquais. Un dénommé Cartwright.

— Cartwright? Mais de quel droit se mêle-t-il de ça, lui?

— Il m'a dit que ton père l'avait mis sur ma piste. Que j'étais une pièce essentielle du puzzle pour que ton paternel puisse atteindre son but : repeupler la terre de vampires, en quelque sorte…

Milos sentit monter en lui une vive colère, mais il la refoula pour ne pas trop détourner le sujet de la conversation. Comme il y en avait, des composantes, à cette histoire! Cependant, pendant qu'Océane lui racontait tout ce que Cartwright lui avait dévoilé sur la mission du comte, le jeune homme ne put s'empêcher de penser que Dracula tentait de bousculer les choses dans sa vie, comme il l'avait fait avec Sarah en vampirisant Louise. Il était clair que le roi des vampires était prêt à tout pour obtenir ce qu'il désirait…

— Milos! M'écoutes-tu?

Tiré de ses réflexions, le fils de Dracula répondit :

— Oui, oui, bien sûr que je t'écoute. Mais… ce qui m'étonne, c'est que tu aies cru tout ce que Cartwright te racontait.

— Au début, non, évidemment. C'est trop fou comme histoire. Mais après un moment, je me suis rappelé l'apparition du vampire à la fin du *Picture Show*. C'était ton père, n'est-ce pas?

Milos baissa les yeux.

— *Oh, my God!* dit Océane en se prenant la tête. *Oh, my God!*

Milos se leva et s'approcha d'elle.

— Ne me touche pas!

Pour la deuxième fois depuis le début de l'entretien, Milos sentit sa vie lui échapper. Il fallait qu'il reprenne rapidement la situation en main.

— Rien n'a changé, Océane.

Celle-ci éclata de rire devant l'absurdité de ces mots. Milos réalisa qu'il s'était mal exprimé.

— Tout a changé, mais rien n'a changé, tu comprends?

— Je comprends ce que tu veux dire, admit la jeune femme lorsqu'elle cessa de rire, mais je ne suis pas d'accord. Comment veux-tu que je sois l'amoureuse d'un vampire?

Milos ne sut quoi répondre. Il ne s'était jamais posé la question. En fait, il avait voulu croire que la question ne se poserait même pas. Comme il avait été naïf!

Après un court silence, Océane se dirigea vers la porte. Pour la retenir, Milos s'écria:

— Tu ne m'aimes plus?

— Comment peux-tu me demander cela? C'est injuste.

Océane posa sa main sur la poignée de la porte. Elle demeura immobile, incapable de la tourner, comme si, du même coup, elle tournerait aussi la page sur le bref chapitre de sa vie qu'avait été Milos. Était-ce ce qu'elle voulait?

— Je t'aime, Océane, et je veux faire ma vie avec toi, souffla Milos.

— Ta vie? Quelle vie? Ta vie de vampire? Est-ce qu'on appelle ça une vie, une vie de vampire, ou… une mort? Ou…

— Je ne sais pas. J'avoue que je n'en ai aucune idée.

Océane fixa la poignée de la porte comme si elle cherchait désespérément à la faire tourner par la seule force de son regard.

— Je sais que ce que je te demande n'a pas de sens, reconnut Milos. Tu pensais avoir rencontré un gars et… tu as rencontré une… créature.

Océane se permit de poser les yeux sur Milos pour la seconde fois depuis qu'il était rentré.

— Est-ce que c'est vraiment ça, Milos? Est-ce que j'ai rencontré une créature au lieu d'un gars gentil, sensible, drôle, intelligent, séduisant…?

Milos s'approcha lentement d'Océane pour éviter de l'effaroucher. Il lisait beaucoup d'amour dans ses yeux, ce qui le rassura. Mais il savait aussi qu'il la mettait dans une position impossible, ce qui lui fit monter les larmes aux yeux.

— Et si on essayait de tout reprendre du début… lentement… sans rien bousculer?

Océane sourit légèrement avant de sentir la poignée tourner par elle-même et de recevoir violemment la porte sur son épaule.

— Aïe!

— *Honey, I'm… Oh, my God!* Wet One? Qu'est-ce que tu fais là?

Océane porta sa main gauche à son épaule droite et massa celle-ci en gémissant. Elle réussit néanmoins à répondre ironiquement à Matthew:

— Je partais, justement…

— Ce n'est pas moi qui te chasse, j'espère?

Océane réalisa juste à ce moment que dans sa mésaventure elle s'était aussi tordu le poignet droit.

— Non, non, Matthew. Je ne savais même pas que tu arrivais.

Ce dernier remarqua enfin qu'Océane se tordait de douleur. Il fronça les sourcils et s'approcha d'elle, rempli de compassion:

— *Oh my!* Qu'est-ce qui t'est arrivé, *darling*?

Il se tourna alors brusquement vers son colocataire:

— Milos Menzel! Qu'est-ce que tu as fait à cette pauvre Wet One? Je ne tolérerai pas de violence dans mon appartement, *okay*? Il y a des limites aux choses *kinky*, hein? J'ai un très bas niveau de tolérance à la douleur… tant pour moi que pour mes amis! *Come to daddy, darling!*

En enlaçant Océane, Matthew la serra trop fort.

— Ouch! gémit la jeune femme.

— Oups! *Sorry…* dit Matthew en relâchant légèrement son emprise.

Il jeta à Milos un regard méchant.

— Grosse brute!

CHAPITRE 16

Québec, 22 octobre

Sarah se réveilla dans le lit de la chambre d'amis du condo de Louise. Elle entendit sa grand-mère l'appeler :

— Sarah ? C'est Jolane au téléphone.

Déboussolée, la préadolescente prit quelques secondes pour réaliser où elle se trouvait. Elle se souvint qu'elle était revenue de New York dans les bras de mamie Loulou après une visite des plus mouvementées avec son frère et sa sœur dans la Grosse Pomme. C'était maintenant le dimanche matin. Le retour à la réalité, à la vraie vie, à l'école le lendemain… Mais avant, il lui fallait parler à sa meilleure amie qui téléphonait pour prendre de ses nouvelles !

— Merci, mamie.

Sarah prit l'appareil sur la table de chevet près d'elle. Elle entendit le clic quand Loulou raccrocha l'autre appareil.

— Sarah ? Pourquoi tu ne m'as pas rappelée, hier ?

Décidément, Jolane ne prenait pas cinquante détours.

— Excuse-moi. J'étais à New York.

— Niaise-moi donc !

— Je te le jure. Mamie voulait visiter New York et, comme elle allait beaucoup mieux, je lui ai dit que je l'accompagnerais. C'était vraiment *cool*.

Un silence suivit avant que Jolane ne dise :

— Tu… tu es partie pour New York vendredi soir avec ta grand-mère et tu es déjà revenue. Ça ne fait pas un voyage très long… et ça coûte cher d'avion pour seulement deux nuits, non ?

Sarah ne pouvait pas dire à Jolane qu'elle et sa grand-mère n'avaient pas pris l'avion. Le trajet en train, en autobus ou en voiture aurait pris encore plus de temps… Il n'y avait pas tellement de moyens de transport plus rapide que le *Vampire Express* !

— Oui, mais… à cause de l'école demain et… de l'horaire des vols… nous ne pouvions pas rester plus longtemps là-bas. Mais nous allons sûrement y retourner parce que nous avons adoré ça. Nous avons vu un spectacle qui s'appelle le *Rocky Horror Picture Show*. Connais-tu ça ?

Sarah se disait qu'il valait mieux préparer Jolane lentement au dévoilement des bouleversements qui étaient survenus dans sa vie ces derniers jours. Après tout, on n'annonce pas à brûle-pourpoint à sa meilleure amie que l'on connaît depuis la maternelle qu'un frère et une sœur (aînés, de surcroît !) ont surgi dans notre existence, que notre père biologique est le comte Dracula, que notre grand-mère bien-aimée est maintenant un vampire et que, bientôt, on devra le devenir aussi si l'on veut toucher une fortune de plus de trente-trois millions d'euros, un château en Transylvanie, une abbaye en Grande-Bretagne et un manoir éléphantesque à flanc de montagne en bordure de l'Atlantique dans le Maine… On se ferait interner dans le temps de le dire !

Jolane ne connaissait pas le *Picture Show*.

— Tu chercheras sur Internet, conseilla Sarah. C'est vraiment fou. C'est un film et il y a des acteurs qui reproduisent les scènes en direct devant l'écran.

Jolane fronça les sourcils. Ce concept lui semblait étrange.

— As-tu eu des nouvelles de Simon ? Il n'arrête pas de dire à Francis qu'il capote sur toi et qu'il a super hâte d'assister au bal costumé vendredi avec toi.

Sarah sourit de pur bonheur. En rigolant un peu, elle s'exclama :

— Il ne doit pas savoir que Francis et toi me racontez tout ce qu'il vous dit sur moi et sur ce qu'il ressent, hein ?

Soudain, Sarah réalisa que ce genre de choses pouvait fonctionner dans les deux sens. Horrifiée, elle demanda, presque suppliante :

— J'espère que tu ne racontes pas à Francis tous les secrets que je te confie sur mon amour pour Simon ?

— Hein ? Euh… mais non. C'est sûr.

— Jolane !

— Ben là ! Vous êtes trop *cute* ! Et Francis et moi, ça fait tellement longtemps qu'on sort ensemble qu'il ne m'arrive plus de petites anecdotes amoureuses. Alors il faut bien que je raconte celles de mes amis !

Sarah en eut le souffle coupé. Elle devint subitement étourdie.

— Jolane Mercier ! Je vais te tuer !

— Mais ce n'est pas grave, Sarah. Simon a les mêmes sentiments envers toi. S'il ne t'aimait pas, ce serait vraiment chien que Francis et moi, on lui dise tout, mais… c'est sûr qu'après vendredi, Simon et toi, vous allez être un couple… alors… dans le fond, on fait juste vous aider.

Sarah se détendit légèrement. Elle souhaitait tant que son amie ait raison.

— Est-ce que c'est vrai que vous allez vous déguiser en Roméo et Juliette ?

Sarah sentait dans le ton de Jolane que cette dernière trouvait cette idée incroyablement romantique.

— Quand il m'a proposé qu'on y aille costumés en duo célèbre, il m'a fait trois ou quatre suggestions… C'est moi qui ai choisi Roméo et Juliette.

Jolane s'emballa.

— Ah, c'est tellement génial ! Vous serez vraiment beaux. J'ai trop hâte !

— Moi aussi.

Jolane et Sarah se promirent de se voir aux casiers avant d'aller en classe le lendemain matin. Sarah demanda à sa meilleure amie de l'accompagner chez le costumier de la rue Saint-Jean après l'école pour qu'elle puisse réserver son costume.

— Au fait, Jolane, tu ne m'as pas dit en quoi tu te déguisais… ?

— Hein ? Je ne te l'ai pas dit ? Francis se déguise en Dracula et moi en épouse de Dracula avec une vieille robe de mariée déchirée et pleine de sang et un maquillage de mort-vivant ! *Cool*, non ?

Sarah manqua de défaillir.

— Ouais… super *cool*.

†

Quelques heures plus tard, Sarah descendit de l'autobus non loin du Capitole de Québec. La jeune fille entreprit de faire le reste du chemin à pied pour rentrer chez elle. Elle avait besoin de cette promenade pour mettre de l'ordre dans ses idées avant de faire face à l'inévitable conversation avec ses parents qu'elle avait jusque-là réussi à esquiver. Elle savait qu'elle aurait maintenant à faire face à la musique. Après tout, quand on a douze ans et demi, on ne peut pas disparaître pendant presque trois jours sans avoir des comptes à rendre à ses parents. Et quelle sera la réaction de ces derniers concernant son escapade à New York avec Loulou ? Pire encore, comment arrivera-t-elle à justifier sa mystérieuse disparition du lundi matin alors qu'elle devait être en route pour l'école ?

En passant la porte Saint-Jean, Sarah tourna machinalement les yeux vers la droite comme elle avait toujours l'habitude de le faire lorsqu'elle entrait dans le Vieux-Québec.

Elle avait développé ce réflexe parce que, dès qu'elle avait été en âge de fréquenter des colonies de vacances ou même de faire un *pyjama party* avec des amies, elle avait entendu des histoires d'horreur de filles qui s'étaient fait kidnapper, agresser, violer et découper en petits morceaux par des sadiques qui s'appuyaient contre l'arche de la porte Saint-Jean et attendaient des victimes innocentes et vulnérables sur lesquelles ils pourraient sauter. Les filles ainsi capturées n'étaient jamais retrouvées. La légende racontait que leurs fantômes apparaissaient souvent dans les lueurs de la pleine lune au-dessus de la porte Saint-Jean, marchant comme des funambules sur le célèbre mur historique du Vieux-Québec !

Bien malgré elle, Sarah sursauta en apercevant un adolescent appuyé contre le mur de pierre. Elle se sentit ridicule. C'était la première fois qu'elle voyait vraiment quelqu'un à cet endroit, mais le garçon paraissait inoffensif. Elle se gronda intérieurement et sourit timidement au jeune homme sans interrompre sa marche.

Ces histoires de filles qui disparaissaient à tout jamais étaient ridicules puisque, si elles avaient vraiment disparu, comment pouvait-on savoir qu'elles avaient été agressées, violées, découpées en petits morceaux ? Sarah n'avait jamais poussé la réflexion aussi loin. Elle haussa les épaules, découragée de découvrir à quel point elle avait été naïve et crédule lorsqu'elle était petite !

En passant devant La Table ronde, une boutique vendant des vêtements de style gothique et médiéval, Sarah s'attarda un moment en pensant à Elizabeth. Ces longues jupes noires, ces accessoires et bijoux en cuir et en métal, ces bustiers lacés noirs ornés de rouge… Elle se demanda si sa sœur avait un magasin semblable non loin de chez elle. Elle l'espérait parce que, pas de doute, c'était le type d'endroits qu'Elizabeth devait affectionner, elle qui adorait ce genre de tenues. « Si tu viens à Québec en fin de semaine prochaine, Elizabeth, songea Sarah, je t'emmènerai ici. »

Avant de reprendre son chemin, la jeune fille se tourna vers la droite. Elle aperçut un autre adolescent qui marchait vers elle sur le trottoir. Il n'était pas le seul à marcher dans sa direction, mais Sarah le remarqua parce qu'elle lui trouvait une ressemblance avec celui qu'elle avait vu près de la porte Saint-Jean. Lorsque leurs regards se croisèrent, le jeune homme baissa les yeux et fit quelques pas de plus avant de s'arrêter devant une confiserie pour en admirer la vitrine.

Sarah fronça les sourcils et reprit son chemin. Qu'allait-elle inventer pour justifier son absence du début de la semaine ? Elle aurait bien voulu communiquer avec un copain, une amie, un oncle, une tante, et leur demander de lui forger un alibi sans poser de questions. Cependant, la majorité de ses amis fréquentaient le Petit Séminaire et étaient donc brûlés comme conspirateurs parce qu'ils avaient déjà avoué à Lyne, la mère de Sarah, qu'ils ne savaient rien de son absence. Pour ce qui est des membres de la famille, Sarah savait trop que sa tante Christiane ne l'aimait pas assez pour accepter d'être complice d'un mensonge… Et comme sa réputation de haut fonctionnaire de l'État à Ottawa lui était plus chère que tout au monde, elle craindrait sans doute que la fugue de sa nièce ternisse son image. Sarah aurait aimé communiquer avec son oncle Claude, mais jamais sa mère ne croirait qu'elle s'était poussée à San Francisco pour deux jours. Pourtant, la jeune fille avait voyagé bien plus loin!

Après avoir marché quelques coins de rue de plus, perdue dans ses réflexions, Sarah s'arrêta devant la vitrine des Gros Becs, le centre de diffusion du théâtre jeune public qu'elle avait beaucoup fréquenté avec mamie Loulou jusqu'à l'année dernière. Comme elle en avait vu, de bons spectacles, derrière cette porte! Elle sourit et jeta mécaniquement un regard vers sa droite avant de poursuivre son trajet. Une fois de plus, elle aperçut l'adolescent qui s'approchait d'elle sur le trottoir. Se raisonnant, elle se dit qu'il était normal qu'il marche encore dans sa direction s'il s'en allait vers le bas de la ville, non? Mais oui, bien sûr! Il y avait sans doute plusieurs autres personnes qui marchaient dans la même direction qu'elle. Elle ne les avait tout simplement pas remarquées.

Avant d'aller chercher le regard du jeune homme, Sarah prit quelques secondes pour l'observer. Il ne semblait pas tellement plus grand qu'elle, mais donnait l'impression d'être costaud. Cependant, Sarah se dit que ce n'était peut-être qu'une illusion puisqu'il portait un parka au capuchon bordé de fourrure qui cachait ses formes. Ses cheveux châtains ébouriffés, qui n'étaient pas longs, paraissaient néanmoins abondants. Il dégageait une énergie de petit *bum* qui aurait probablement plu à Elizabeth, se dit Sarah.

L'adolescent prit un certain temps avant de la regarder, ce qui avait permis à Sarah de l'observer à sa guise ; lorsque leurs yeux se croisèrent enfin, le jeune homme s'empressa de diriger son regard ailleurs. Il était encore trop loin pour que Sarah puisse vraiment juger de sa grandeur, mais… peut-être la dépassait-il d'une tête ? Cette fois, l'adolescent semblait surveiller les voitures, comme s'il souhaitait traverser la rue avant d'arriver à l'intersection. Sarah décida spontanément de se cacher sous le porche des Gros Becs, collée contre le mur comme si elle avait voulu s'y fondre.

« Je vais te laisser me dépasser, dit-elle intérieurement au mystérieux adolescent qui n'avait peut-être absolument rien de mystérieux, finalement. Après ça, tu ne pourras plus me suivre, hein ? Si tu me suis, évidemment… »

Sur la pointe des pieds, son sac à dos pressé contre le mur, les abdominaux contractés comme si elle avait voulu se rendre invisible… la position de Sarah était de plus en plus inconfortable. La jeune fille se faisait aussi dévisager par tous les passants. Ils se demandaient sans doute de qui elle se cachait, ce qu'elle avait fait de mal ou ce qui provoquait chez elle une telle paranoïa !

Après quelques minutes qui lui parurent interminables, Sarah vit le jeune homme revenir dans son champ de vision, de l'autre côté de la rue. Il la regardait maintenant franchement. Il fronça ses sourcils abondants en prenant connaissance de l'étrange posture qu'elle avait adoptée et lui sourit gentiment, l'air de dire : « Ah, te voilà ! Je te cherchais ! » Malgré la gêne qu'elle ressentait de passer pour une paranoïaque débile devant cet adolescent somme toute assez ordinaire, Sarah fut encore plus mal à l'aise devant le troublant rictus qui déforma ensuite le visage du jeune homme. Elle remarqua sa dentition particulière et se fit la réflexion qu'il aurait besoin d'un appareil d'orthodontie.

Orgueilleuse, elle se ressaisit, descendit de la petite marche devant la porte des Gros Becs et plongea son regard dans celui de l'adolescent, comme pour dire : « Qu'est-ce que tu me veux, bonhomme ? Je ne suis pas à vendre ! »

Celui que Sarah avait soupçonné d'être un agresseur se contenta de lui envoyer un sourire taquin. Elle réagit en plaçant son poing sur sa hanche, fixant le garçon afin qu'il lise dans ses yeux : « Je ne te trouve pas drôle ! Laisse-moi tranquille, OK ? » Néanmoins, elle remarqua que les dents et la bouche de l'inconnu faisaient partie de son charme et qu'elles ne nécessiteraient nulle correction, finalement ! Il était franchement *sexy*, même si Sarah hésitait à se l'avouer…

Le jeune homme la regarda avec convoitise, comme s'il avait voulu l'embrasser ou… plus ? Outrée, Sarah plissa les yeux et poussa un petit « Ah ! » comme si elle n'avait jamais été aussi insultée de toute sa vie.

L'adolescent lui sourit, frondeur. Il haussa les épaules, comme pour signifier : « Tu ne sais pas ce que tu manques, beauté ! » Puis il reprit son chemin.

Sarah n'avait jamais été draguée aussi ouvertement. Elle n'avait pas aimé l'expérience. Était-ce parce que le jeune homme ne correspondait pas à ses critères de beauté habituels ? Était-ce parce que la méthode laissait à désirer? Était-ce parce que, dans son cœur, elle avait déjà choisi Simon? C'était peut-être pour toutes ces raisons, finalement!

— Non mais, quand même! Gros colon!

— Pardon? demanda un vieil homme qui passait près d'elle sur le trottoir avec sa femme.

— Ah, non, non, pas vous! Excusez-moi! dit Sarah en réalisant qu'elle avait parlé tout haut.

Sarah se ressaisit et reprit son trajet en jetant un œil de l'autre côté de la rue. Où était-il passé? Elle balaya tous les environs du regard… Après tout, peut-être avait-il traversé de nouveau la rue… Rien. Il semblait s'être volatilisé. «Ne sois pas ridicule, se dit Sarah. Il est peut-être seulement entré dans un magasin.»

La jeune fille bifurqua à droite, sur la côte de la Fabrique en direction de la rue des Jardins. Néanmoins intriguée et troublée, elle regardait parfois derrière elle pour voir si le jeune homme n'avait pas recommencé à la suivre. Il avait vraiment semblé la trouver jolie. Sarah ne put s'empêcher de se sentir flattée même si elle trouvait qu'il avait eu un comportement de Cro-Magnon à son égard…

En passant devant la boutique du costumier où elle louerait son déguisement de Juliette le lendemain, Sarah s'arrêta et colla son nez à la vitrine en plaçant sa main en visière au-dessus de ses yeux. Il y avait tant de belles robes de princesse de tout genre dans ce magasin: médiéval, classique, gothique, avec ou sans crinoline, avec ou sans cerceaux, avec ou sans voile ou coiffe… des étoffes luxueuses à faire rêver. Sur le mur de gauche, derrière tous les costumes d'Halloween qui envahissaient la vitrine en cette période de l'année, Sarah aperçut la magnifique robe qui la transformerait en une Juliette somptueuse pour le bal. Son cœur se mit à battre la chamade et elle ferma les yeux un moment. Elle s'imaginait dansant avec Simon dans la grande salle du Petit Séminaire.

«Ça va être tout simplement magique!» se dit-elle avant d'ouvrir les yeux.

Le visage de l'adolescent qui l'avait suivie plus tôt se reflétait dans la vitre. Il semblait superposé au masque de Frankenstein qui trônait sur le costume du monstre rendu célèbre par l'interprétation de Boris Karloff au cinéma. Sarah sursauta et pivota rapidement sur elle-même, prête à affronter l'ennuyeux personnage qui la suivait encore.

Mais il n'était pas là.

CHAPITRE 17

Killester, 22 octobre

Avec le décalage horaire, Elizabeth posa les pieds sur le toit de la maison familiale aux alentours de trois heures du matin, heure locale. Épuisée, elle ne put néanmoins s'empêcher de prendre quelques minutes pour comparer ses deux périples transatlantiques. Le premier, avec Rick, avait été joyeux, euphorisant, excitant. Le deuxième, seule, avait été triste, frustrant, déprimant. La jeune femme n'arrivait pas à croire qu'elle avait volé sans y prendre plaisir. C'était la faute de Rick!

Rapidement, elle descendit du toit et se réfugia dans sa chambre. Elle s'empressa d'éteindre les lumières, de retirer ses vêtements et de se glisser sous ses draps en sous-vêtements. Pas de temps pour enfiler un pyjama ou une chemise de nuit. Elle savait que Rick la suivait et elle ne voulait surtout pas le voir. La jalousie la rongeait toujours et elle se trouvait bien laide lorsqu'elle était envahie par ce sentiment disgracieux.

Elle ferma les yeux, déterminée à s'endormir, mais elle ne pouvait s'empêcher de souhaiter que Rick vienne doucement frapper à sa fenêtre, tout repentant et romantique.

— Espèce de folle! Qu'est-ce que tu vas faire s'il vient? En soutien-gorge et en culotte? Bravo!

Sans hésiter davantage, elle repoussa les draps et rampa jusqu'à sa commode. Il ne fallait surtout pas que Rick voie sa silhouette par la fenêtre.

L'adolescente tira une jaquette d'hiver de son tiroir et la déplia. Malgré la noirceur, elle s'aperçut dans la glace de plain-pied qu'éclairait le reflet de la lune qui s'infiltrait sournoisement dans la chambre.

— Je sais que je ne suis pas la plus belle fille du monde, Rick Langston! Mais la plus belle fille du monde n'existe pas. Et même si elle existait, elle ne pourrait pas t'aimer comme je t'aime.

Elizabeth observa ses courbes dans la glace. Elle avait toujours trouvé ses seins trop gros, ses hanches trop larges, ses cuisses trop massives, ses épaules trop carrées et pas assez féminines, les traits de son visage trop ordinaires… Mais pour la première fois de sa vie, elle se regarda avec les yeux de Rick. Tout lui parut tout à coup plus beau, plus attirant, plus séduisant – même son soutien-gorge et sa culotte, qui n'avaient rien de la lingerie fine des top-modèles qui fait baver les garçons, semblaient plus sensuels, plus *sexy* à ses yeux.

Elizabeth jeta un œil à la jaquette en flanelle, si douce, si chaude et si rassurante. Finalement, elle la replia et la rangea dans sa commode. Elle sortit une camisole en dentelle rouge que lui avait donnée son amie Samantha et qu'elle cachait au fond d'un tiroir parce que sa mère l'aurait tuée si elle avait trouvé ce vêtement parmi ses choses !

— Où as-tu pigé ça ? avait chuchoté Elizabeth à Samantha lorsque cette dernière lui avait donné l'agui-chant vêtement pendant un *pyjama party*.

— Ma tante Helen fait des démonstrations de lingerie fine à domicile, avait avoué Samantha. Ma mère l'a complètement reniée quand elle a appris ça, mais… je vais souvent la voir. Elle est tellement *cool*. Elle me donne régulièrement des échantillons et je m'amuse à les porter… quand je suis seule, évidemment !

Elizabeth avait placé le vêtement provocateur devant le tee-shirt noir qu'elle portait pour dormir et s'était tournée vers la glace au-dessus de la commode dans la chambre de Samantha. Cette dernière était arrivée derrière son amie et lui avait soufflé :

— Je suis sûre qu'elle te fera super bien. Moi, je n'ai pas… la poitrine pour ça. Mes seins se perdraient là-dedans !

Les filles avaient éclaté de rire et s'étaient rapidement tues pour ne pas attirer l'attention des parents de Sam.

— Essaie-la, avait chuchoté Samantha dans l'oreille de son amie, en la regardant fébrilement dans les yeux par le miroir.

Sans cérémonie, laissant de côté sa pudeur légendaire, Elizabeth avait retiré son tee-shirt sous le regard ébaubi de son amie. C'était la première fois qu'Elizabeth montrait ses seins à quelqu'un. Elle avait été surprise de constater, elle qui avait toujours été si complexée par son corps – et les rondeurs féminines qui s'étaient développées précocement chez elle –, à quel point elle se sentait à l'aise devant Samantha.

Cette dernière regardait Elizabeth avec tant d'intensité et d'admiration que l'adolescente en avait presque oublié pourquoi elle avait retiré son tee-shirt.

— Tu es… tellement… belle, avait balbutié Samantha avec un trémolo dans la voix, provoqué par l'interdit du moment.

Elizabeth avait souri et rougi à la fois. Elle avait eu envie de se couvrir rapidement en réalisant que cette scène pouvait avoir quelque chose de ridicule, d'absurde… Mais elle était demeurée immobile, comme quelqu'un qui aurait combattu une phobie pendant des années et qui l'affrontait enfin courageusement.

— Je te trouve chanceuse, avait ensuite dit Samantha en regardant les seins d'Elizabeth. Les miens sont tellement petits.

Elizabeth avait inspiré profondément et soupiré :

— Moi, j'aurais tellement voulu en avoir des plus petits… ou pas du tout !

Nerveuses et fébriles, prises malgré elles par une sensation étrange qu'elles découvraient pour la première fois mais qu'elles trouvaient mystérieusement agréable, les deux filles avaient eu un petit rire haletant.

— On veut toujours ce qu'on n'a pas, hein ? avait finalement énoncé Elizabeth avec philosophie.

— Ouais…

Un autre long silence avait plané dans la chambre. Elizabeth n'avait toujours pas enfilé la camisole affriolante.

— Je me suis toujours demandé comment ce serait d'avoir de plus gros seins… avait avoué Samantha, la voix tremblotante.

Spontanément, sans dire un mot, Elizabeth avait lentement levé les bras de chaque côté de son corps et, par un simple sourire et un regard, avait donné à Samantha la permission d'approcher. Après une brève hésitation, celle-ci avait collé sa poitrine sur les omoplates d'Elizabeth. Elle avait ensuite doucement caressé les flancs de son amie et avait laissé ses mains remonter vers les seins d'Elizabeth. Cette dernière avait résisté au fou rire qui voulait s'emparer d'elle, provoqué par le chatouillement des doigts de Samantha, mais la sensation avait été bien différente lorsque les mains fines s'étaient glissées sous ses seins et les avaient caressés doucement et respectueusement.

Placée ainsi derrière son amie, Samantha avait expérimenté l'impression d'avoir elle-même une poitrine plus proéminente, mais elle avait été prise à son propre jeu lorsque le contact entre ses petits seins et le dos nu d'Elizabeth lui avait donné des frissons qu'elle n'avait jamais ressentis au contact d'une autre personne. À sa grande surprise, elle s'était aperçue que la respiration d'Elizabeth devenait de plus en plus haletante, sensuelle, et que son amie avait laissé tomber sa tête à la renverse, sur son épaule gauche.

Se laissant emporter, Samantha s'était permis de déposer de petits baisers dans le cou de son amie. Cette dernière avait frissonné de tout son être, sa peau se couvrant de chair de poule.

Élizabeth avait pivoté sur elle-même et les filles s'étaient embrassées. Dans leurs regards, elles s'étaient clairement transmises un désir de découverte. Cette soirée n'aurait pas de conséquences sur leur amitié, solide et indestructible. Elles savaient toutes les deux qu'elles n'étaient que deux bonnes amies qui avaient été prises par surprise et qui avaient décidé d'explorer ensemble, en toute confiance et sans malaise parce qu'elles étaient si complices, les plaisirs de la chair.

Elizabeth rouvrit les yeux. Pas de doute que Samantha serait ravie d'apprendre que son amie avait découvert sa véritable identité, qu'elle avait pu si aisément faire son entrée dans la cohorte. Combien de fois Elizabeth avait-elle verbalisé son impression d'être un imposteur dans sa propre famille ?

L'adolescente retira son soutien-gorge et enfila la camisole de dentelle rouge qu'elle n'avait jamais essayée, finalement, chez son amie.

— Tiens, Rick Langston ! Voilà ce que tu trouveras si tu t'avises de venir frapper à ma fenêtre cette nuit.

Elizabeth reprit place sous les couvertures et ferma les yeux, tentant en vain de se convaincre qu'elle était assez fatiguée pour oublier Rick et s'endormir. Elle eut une pensée pour ses parents qui devaient dormir dans la chambre des maîtres puisqu'elle avait vu les deux voitures dans l'entrée. Sans doute qu'elle aurait des comptes à rendre dès l'aube, mais… ses parents aussi auraient bien des explications à fournir.

Après de longues minutes, Elizabeth sentit ses paupières devenir de plus en plus lourdes. Elle changea de position dans son lit, se tournant sur le ventre, la tête vers le mur, la position qui lui permettait généralement de trouver le sommeil. Elle était sur le point de s'endormir lorsqu'elle entendit un petit tapotement à la fenêtre. Elle sursauta, puis bondit de son lit pour aller voir à la fenêtre.

Rien.

Avait-elle rêvé? Elle colla sa joue gauche à la vitre pour voir le plus loin possible vers la droite puis fit le même manège de l'autre côté. Personne.

Déçue, elle retourna à son lit. Comme elle allait remonter ses couvertures sur ses jambes, le tapotement à la vitre reprit. Se levant rapidement, elle trébucha dans son drap et tomba de tout son long sur le plancher.

— Ouch!

Elizabeth se releva rapidement et se tourna vers la fenêtre où elle aperçut un visage à l'envers dans le haut du cadre. Elle sursauta et étouffa un cri en couvrant sa bouche de sa main, ce qui lui fit réaliser qu'elle s'était foulé le poignet en tombant.

L'adolescente ne mit que quelques secondes à se rendre compte qu'il s'agissait de Rick. Soulagée, elle regarda la tête de son amoureux qui marquait minuit dans la fenêtre de sa chambre! Tout à coup, Rick se mit à bouger. Il passa à une heure, à deux heures, à trois heures… jusqu'à six heures. Les pieds sur le petit toit, il tenta d'ouvrir la fenêtre, mais il dut compter sur Eliza-

beth pour l'aider puisque les poignées étaient à l'intérieur.

— Es-tu contente de me voir? demanda Rick,
comme si rien ne s'était passé.

Bien malgré elle, Elizabeth sourit.

— Tu voles vite, enchaîna le jeune homme en refermant la fenêtre. Je n'arrivais pas à te suivre.

Elizabeth ne dit rien. Elle attendait des excuses de
Rick. Une fille a sa fierté, quand même!

— Et en plus, il y avait plein de belles filles qui
volaient partout au-dessus de l'Atlantique. J'ai été
distrait, tu comprends?

Elizabeth se tourna et frappa Rick du revers de la
main.

— Grand insignifiant!

— *Ow!*

— Pas si fort! Tu vas réveiller mes parents!

— C'est toi qui m'as frappé!

— Ce n'est pas une excuse. C'est toi qui l'as cherché!

Les deux sourirent. Un silence plana.

Rick alla s'asseoir sur le lit.

— Tu me gardes à coucher? Les fenêtres sont
verrouillées à double tour chez mes parents.

Elizabeth leva les yeux au plafond, amusée.

— Ce n'est pas une excuse, ça non plus. Maintenant, avec tes pouvoirs de vampire, tu pourrais te transformer en fumée et passer sous la porte.

Rick prit une seconde pour réfléchir avant de lancer :

— Tout est hermétique chez moi.

Elizabeth étouffa un fou rire.

— C'est vraiment beau, ta camisole rouge.

Elizabeth avait oublié qu'elle portait la camisole. Elle rosit, heureuse que Rick ait remarqué le vêtement.

— Je suis certaine qu'elle ferait bien à Chloe aussi...

Rick ne se laissa pas décourager. Il s'approcha d'Elizabeth en disant, pour la taquiner :

— Je n'en doute pas. Si tu veux dormir avec Chloe, tu peux l'appeler.

Encore une fois, il reçut une claque du revers de la main.

— C'est avec toi que j'ai envie de passer la nuit, ma princesse, murmura tendrement le jeune homme.

Rick et son amoureuse s'embrassèrent passionnément. Elizabeth se permit même des caresses à des endroits qui ne laissaient aucun doute sur ses intentions pour le reste de la nuit.

CHAPITRE 18

Québec, 22 octobre, 13 h 13 (heure locale)

— Allô! Je suis revenue!

Sarah avait lancé la phrase à la cantonade comme elle le faisait souvent en rentrant de l'école, en espérant que la normalité de la chose apaiserait ses parents. Après tout, si elle faisait comme si de rien n'était, peut-être que ses parents oublieraient les événements des derniers jours et n'aborderaient même pas le sujet…

Elle pouvait toujours rêver.

— Nous sommes au salon, lança son père.

Sarah ferma les yeux, déçue de ne pas trouver la maison vide, ce qui lui aurait permis de se préparer pour la rencontre avec ses parents de la même façon qu'elle le faisait pour une production orale à l'école. Cet adolescent tenace qui l'avait suivie pendant un moment dans les rues de la ville l'avait passablement troublée et l'avait empêchée de réfléchir à son affaire. Elle en était toujours au même point!

Après avoir déposé son sac à dos et retiré son manteau dans le hall d'entrée, elle pénétra dans le salon où elle trouva ses parents blottis en amoureux sur le divan devant la télé, un gros bol de maïs soufflé sur leurs genoux.

— Qu'est-ce que vous regardez?

— On se prépare pour l'Halloween, répondit David. On regarde *Fright Night*, un film culte sur les...

— Je sais ce que c'est... coupa Sarah, découragée.

Décidément, elle n'y échapperait jamais. Les vampires étaient soudainement partout! Néanmoins, elle tenta de profiter de la situation pour éviter de parler de sa disparition.

— Aimez-vous ça?

Lyne sourit pendant que David appuyait sur *Pause*. Ils connaissaient bien leur fille!

— Tu aimerais que nous parlions du film au lieu de discuter de l'énorme éléphant blanc qu'il y a entre nous, hein?

Sarah sourit à son tour, tentant de faire du charme.

— Vous savez combien j'adore parler de cinéma avec vous.

Lyne et David se regardèrent, quand même fiers de voir à quel point leur fille avait de la répartie.

— Sarah, ta mère et moi avons vraiment besoin de savoir où tu te trouvais pendant ta disparition. Nous étions malades d'inquiétude. Nous sommes heureux de voir que tu vas bien et que rien de fâcheux ne t'est arrivé, mais quand même! Tu as manqué trois jours d'école, tu ne nous as pas dit où tu allais, tu n'as pas téléphoné…

— J'ai quand même appelé une fois…

— Sarah! trancha Lyne, qui ne voulait pas s'arrêter à des détails de sémantique.

La préadolescente rougit et baissa les yeux, penaude.

— C'est normal que nous posions des questions. Qu'est-ce qui s'est passé? Pourquoi as-tu disparu comme ça?

Sarah inspira profondément. Au moment où elle ouvrit la bouche, elle ne savait toujours pas ce qui allait en sortir.

— Vous ne me croirez pas.

— As-tu l'habitude de nous mentir?

— Non. Mais je n'ai pas l'habitude de vivre des choses aussi folles non plus.

Lyne et David se regardèrent, inquiets. Avaient-ils sous-estimé ce qui s'était passé pendant l'absence de leur fille?

— Parle, Sarah, parce que le silence est pire que tout.

La jeune fille décida alors, sans y réfléchir davantage, de jouer franc-jeu. Après tout, les pires mensonges qu'elle avait contés jusque-là relevaient de choses aussi anodines que des devoirs reportés à plus tard, du ménage non fait, des périodes d'étude raccourcies. Même pour tout ce qui concernait ses relations avec les garçons ou ses sorties avec ses amis, elle ne leur avait jamais menti. Elle ne leur avait pas nécessairement tout dit, mais elle ne leur avait jamais menti. Elle ne se voyait pas commencer maintenant !

Elle leur raconta donc dans les moindres détails tout ce qui s'était passé à partir de son départ avec monsieur Dumitru le matin du lundi 16 octobre jusqu'à son retour en sol québécois le mercredi. Elle expliqua la guérison miraculeuse de Loulou, convertie en vampire par monsieur Sarrazin qui était, en réalité, son père biologique à elle, le comte Dracula.

Lyne et David se regardèrent, les yeux écarquillés, sans voix.

— Je vous l'avais dit que vous ne me croiriez pas.

Les parents de Sarah restèrent muets.

— Ben là, dites quelque chose !

Incrédules, David et Lyne ne savaient absolument pas comment réagir. Ils avaient anticipé plusieurs scénarios, mais jamais ils ne se seraient attendus à un tel récit.

— Je le sais que ça n'a pas d'allure, mais je vous jure que je vous dis la vérité. J'ai même su que ma mère biologique s'appelait Rika Yoshioka et que mon prénom à ma naissance était Makiko.

Lyne et David commencèrent à se sentir étourdis.

— Est-ce qu'ils vous l'ont dit quand vous m'avez adoptée ?

— Non, souffla Lyne, du bout des lèvres, comme si elle avait été en transe.

Encore une fois, le silence s'installa dans le salon des Lachance-Duvall. Il fut rompu par Sarah :

— Je n'avais pas le choix de partir, vous comprenez ? Mon seul but, c'était d'obtenir l'argent pour pouvoir sortir Loulou de l'hôpital et lui offrir les meilleurs soins possibles, ici, à la maison.

Les yeux de Lyne s'emplirent de larmes.

— Mais ne vous inquiétez pas, ok ? reprit Sarah. Maintenant que Loulou est un vampire et qu'elle est assurée d'avoir la vie éternelle, je n'ai plus vraiment de raison de devenir un vampire ou de vouloir la fortune de mon père… En fait, tout ce que je veux, c'est reprendre ma vie normale avec mes amis, vous autres et retourner à l'école… Et aussi me préparer pour le party d'Halloween de vendredi.

Après un court silence, Sarah reprit la parole.

— Et j'aimerais que vous me donniez le droit de voir mon frère et ma sœur une fois de temps en temps… même s'ils sont loin. Mais ça, on pourra en reparler.

Machinalement, Lyne et David firent oui de la tête sans même s'en rendre compte.

Sarah, qui s'était assise sur ses talons devant ses parents, se releva et les enlaça en un grand câlin à trois.

— Je vous aime tellement !

— Nous aussi, nous t'aimons, dirent lentement et en chœur Lyne et David comme s'ils avaient été en état de choc.

Sarah leur sourit et sortit du salon. Elle s'appuya le dos contre le mur du couloir et poussa un soupir de soulagement.

— Ça s'est bien passé, quand même! chuchota-t-elle.

De leur côté, toujours dans une sorte de transe, Lyne et David se regardèrent. Puis ils fixèrent l'image figée sur la télévision. David appuya sur *Stop* et dit:

— Ce film-là n'est pas si bon que ça finalement, hein?

†

Killester, 10 h 13 (heure locale)

— Patrick, est-ce que c'est toi qui as refermé la porte de la chambre d'Elizabeth?

Cette dernière se réveilla en sursaut en entendant la voix de sa mère. Lorsqu'elle vit Rick dormant à ses côtés dans son lit trop étroit pour deux personnes, elle eut le réflexe de lui couvrir rapidement la tête avec son édredon.

— Non.

— Alors elle est revenue?

Elizabeth entendit sa mère marteler vigoureusement la porte de sa chambre.

— Elizabeth Gurney! Sors de là tout de suite! Nous avons affaire à toi!

Ce fut au tour de Rick de se réveiller en sursaut. Rapidement, Elizabeth couvrit la bouche de son copain avant qu'il s'avise de parler.

D'une voix mielleuse, Elizabeth répondit :

— Oui, maman chérie. Donne-moi quelques minutes et je te rejoins dans la cuisine.

Étouffant un fou rire, Rick se cacha de nouveau sous les draps.

— Je ne sais pas si je peux te faire confiance. Qu'est-ce qui me dit que tu ne te pousseras pas encore par la fenêtre ?

— Molly… dit le père d'Elizabeth, généralement plus calme dans ce genre de situation.

Rick commença à bécoter le ventre d'Elizabeth, faisant de petits cercles avec sa bouche autour du nombril de son amoureuse. Celle-ci lui donna une petite claque par-dessus l'édredon. Rick retint le « Ouch ! » qui serait sorti spontanément de sa bouche si la mère d'Elizabeth ne s'était pas tenue de l'autre côté de la porte.

— Je te promets que je te rejoins dans cinq minutes, maman. Promis, juré… Je m'habille et je descends.

Elizabeth entendit le soupir de découragement exagéré de sa mère et les pas de cette dernière qui s'éloignait de la chambre. Elle sentit ensuite les doigts de Rick se glisser sous l'élastique de sa petite culotte. À la fois amusée et affolée – ses parents étaient encore tout près, après tout ! –, Elizabeth se mit à frapper partout sur l'édredon pour que Rick cesse ses folies.

Elle chuchota :

— J'ai dit que j'allais m'habiller, pas me déshabiller, grand fou !

Elle repoussa la literie et sortit de son lit, rassemblant rapidement son soutien-gorge et ses vêtements.

— Tu vas me laisser seul ici?

— Mais non, mon amour. Tu peux venir prendre le petit-déjeuner avec mes parents si tu veux. Je suis certaine qu'ils seront ravis d'apprendre que tu as passé la nuit dans mon lit.

— Mmm… C'est vraiment excitant, ces amours clandestines…

Elizabeth s'assit sur le bord du lit pour enfiler ses chaussettes.

— Ça paraît que ce n'est pas chez toi que nous nous cachons.

— Mes parents sont beaucoup plus ouverts que les tiens.

— Ça, mon chéri, c'est parce que tu es un gars!

Rick enlaça la taille d'Elizabeth et lui bécota le bas du dos en soulevant le chandail qu'elle venait d'enfiler.

— Lâche-moi! Mes parents m'attendent. Il faut que j'y aille. Et surtout, ne bouge pas de là. Mon plancher craque terriblement; si tu commences à te promener, nous serons cuits.

Elle embrassa Rick rapidement et, avant de sortir de sa chambre, elle se retourna vers son amoureux, puis plaça un index devant sa bouche pour lui rappeler que le silence était de mise.

Égale à elle-même, la jeune femme inspira profondément et descendit les marches vers la cuisine avec une assurance peu commune. Ses parents voulaient la fustiger pour ses comportements délinquants des derniers jours ? Soit. Elle était prête. Après tout, ils n'avaient pas été cent pour cent honnêtes avec elle, alors… elle avait des armes pour se défendre.

En entrant dans la cuisine, Elizabeth eut l'impression de faire face à un mini jury. Son père et sa mère étaient assis du même côté de la table, comme s'ils faisaient front commun contre elle.

— *Good morning, mummy! Good morning, daddy!*

Les parents choisirent de répondre par un silence qui se voulait éloquent.

— Vous vouliez me parler ? dit Elizabeth en s'assoyant, misant sur un grossier euphémisme pour ouvrir le bal.

— Où étais-tu, Elizabeth ? demanda doucement Patrick en posant discrètement une main sur la cuisse de sa femme sous la table.

— La première ou la deuxième fois ?

— *Don't be fresh with us, missy…* [3]

Elizabeth savait que lorsque sa mère l'appelait *missy*, un diminutif sec et froid de « mademoiselle », elle avait intérêt à ne pas être trop effrontée.

---

[3] Ne fais pas ton impertinente avec nous, mademoiselle !

— Excuse-moi, maman. La première fois, j'étais à la lecture du testament de mon père biologique. La deuxième fois, je suis allée à New York avec Rick pour voir mon demi-frère biologique dans un spectacle.

Les parents d'Elizabeth figèrent comme des statues de plâtre.

— Je comprends que vous soyez en colère contre moi, mais dans une période de ma vie où tout se bouscule en dedans comme en dehors, le choc a été grand pour moi d'apprendre officiellement ce que dans le fond j'ai toujours su et que vous avez nié de tout temps. Je ne suis pas votre fille biologique. J'ai été adoptée. J'ai même appris que vous m'aviez achetée et que vous auriez préféré avoir un garçon. Un petit frère pour Michael.

— Elizabeth…

— Mais j'ai toujours senti votre amour, votre désir de prendre soin de moi, de me protéger, alors… je ne vous en veux pas. J'espère que vous ne m'en voudrez pas non plus d'avoir besoin de faire de l'ordre dans ma vie, de me trouver, de prendre des décisions pour moi-même… bonnes ou mauvaises.

— *Good Lord*, Elizabeth, es-tu enceinte ?

Après un court silence, la jeune fille éclata de rire.

— Mais non, maman ! C'est ce que tu pensais ? Mais non !

Elle s'étira au-dessus de la table pour prendre les mains de sa mère dans les siennes.

— Il faudrait que je sois la pire des idiotes pour me retrouver enceinte avec une mère gynécologue-obstétricienne, voyons! Ne t'inquiète pas. Tu as tout fait pour que ça n'arrive pas. Tu m'as donné tous les conseils nécessaires pour que j'évite ça. Il n'y aura pas de grossesse non désirée pour moi.

Molly risqua timidement:

— Qui te parle d'une grossesse non désirée? Tu semblais tellement révoltée, tellement en colère contre nous, que je pensais que tu aurais fait un enfant par dépit, pour te venger.

Que sa mère ait pu songer à une chose pareille cloua Elizabeth sur sa chaise. Voyant la réaction de sa fille, Patrick avança:

— Nous n'avons pas vraiment pensé cela, Elizabeth…

Cette dernière savait que son père tentait d'adoucir le coup, de protéger Molly, en quelque sorte. Les larmes lui montèrent aux yeux.

— J'ai toujours su que nous étions très différents, mais… vous serez toujours ma famille quand même. Seulement maintenant, j'ai une famille… élargie. Cette famille comprend Sarah et Milos, ma sœur et mon autre frère… de sang. Et Rick, mon amoureux.

Molly et Patrick comprirent en même temps, à ce moment précis, que leur fille leur échappait, qu'elle n'était plus le bébé qu'ils avaient adopté, la gamine qu'ils avaient élevée, l'adolescente qu'ils essayaient de tenir dans le droit chemin.

207

Tous les trois gardèrent le silence pendant un long moment et pleurèrent silencieusement.

La sonnette de la porte retentit. La famille O'Neil-Gurney se ressaisit. Elizabeth eut même un petit rire nerveux. Pour la suite, soit le chapitre «Je suis devenue vampire en plus», il faudrait attendre.

— Sauvés par la cloche? dit-elle en se levant et en séchant ses larmes.

Avant de sortir de la cuisine, elle se retourna vers ses parents toujours aussi bouleversés.

— Ne pleurez pas. Il n'y a pas de raison. Tout est clair maintenant. Nous pourrons reprendre nos vies et cesser de nous déchirer.

Elle leur sourit pour les rassurer et se dirigea vers la porte pendant qu'un doigt insistant multipliait les ding dong. Elizabeth trouva son amie Samantha sur le seuil. Tremblotante et en pleurs, celle-ci lui sauta dans les bras.

— *Oh, Lizzie, I'm so sorry! I'm so sorry!*[4]

---

[4] Oh, Lizzie, je suis tellement désolée! Je suis tellement désolée!

CHAPITRE 19

New York, 22 octobre

Milos avait très mal dormi. Océane était partie, prétextant qu'elle devait réfléchir à tout ce qu'elle venait d'apprendre, à l'avenir de sa relation avec Milos. Le sommeil du fils de Dracula avait été secoué par de violents cauchemars qui lui faisaient remettre en question son choix de devenir un vampire. Avait-il bien fait? Océane accepterait-elle éventuellement de faire sa vie avec un vampire? Rien n'était moins sûr et le cœur de Milos s'en trouvait tout chamboulé.

Après le départ de son amoureuse, Milos, solennel, s'était assis avec Matthew et lui avait dit :

— J'ai plein de choses à te raconter, Matt.

— *Oh, me too!* Moi, en premier. J'ai passé la nuit chez Kevin et nous avons fait le point sur notre relation. Et tu sais quoi? C'est maintenant une relation, une vraie. Je peux vraiment le dire à présent. Nous nous aimons et nous allons essayer de construire quelque chose ensemble.

— C'est vraiment super, Matt. Je suis content pour vous deux.

L'enthousiasme de Matthew s'était dissipé d'un coup.

— On ne dirait pas vraiment que tu es content. Ne me dis pas que tu es jaloux ? Écoute, Milos. Il faudrait te décider. Tu veux que je sois ton frère ou ton amoureux ?

Milos avait souri. Il avait bien reconnu là Matthew.

— Non, non, tu sais bien que toi et moi, c'est purement…

— … physique, oui je sais, avait plaisanté Matthew. Ah, merci, Milos, de m'avoir présenté Kevin ! Tu sais, c'est un peu grâce à toi si lui et moi sommes ensemble.

Le colocataire de Matthew avait encore souri.

— Je vous souhaite sincèrement tout le bonheur du monde. Vous êtes beaux ensemble.

— Oui, hein ? avait roucoulé Matthew avant de glousser comme un enfant.

Milos avait ensuite entrepris de raconter toute son histoire, allant jusqu'à expliquer à son ami pourquoi Océane était partie si abruptement.

— Tu te rappelles quand tu m'as surpris avec Cassandra sous l'escalier ? Nous ne faisions pas l'amour. Nous…

— Tu la transformais en vampire ? *Oh, my God !* Tu veux dire que Cass est maintenant…

— Un vampire, oui.

— Wow ! *That's so cool !*

Milos avait été très surpris par la réaction de son ami.

— Tu trouves? Euh… tu crois aux vampires?

Matthew avait froncé les sourcils, étonné.

— Mais pourquoi je n'y croirais pas? N'en es-tu pas un?

— Euh… oui. Mais… tu… tu ne m'en veux pas de ne pas t'avoir tout dit dès mon retour?

— Est-ce que j'ai dit à ma famille que j'étais gai dès que je l'ai su? Je ne suis pas très bien placé pour te juger, Milos.

Ce dernier avait souri, attendri, et avait serré son frère de cœur dans ses bras.

— Tu es vraiment formidable, Matthew.

— Je sais, je sais! Tout le monde me le dit.

Ils avaient ri et, soudainement, tous les morceaux du puzzle des derniers jours avaient commencé à se mettre en place pour Matthew.

— Alors ces deux sœurs que tu as trouvées… Sarah et Elizabeth, je crois? Elles sont donc des vampires aussi?

Milos avait expliqué à Matthew qu'Elizabeth et son amoureux Rick étaient déjà entrés dans la cohorte, mais que Sarah tardait à se laisser convaincre.

— Maintenant, il faut que je vampirise cinq autres personnes avant le 2 novembre, la prochaine fête des

Morts, si je veux accéder à ma part de la fortune de mon père.

Matthew avait spontanément reculé, comme si, pendant une fraction de seconde, il avait eu peur que Milos lui saute dessus.

— *Come on,* Matt! Ne me regarde pas comme ça. Je ne suis pas un prédateur. Je ne t'attaquerai pas.

Se sentant ridicule, Matthew s'était ravisé :

— Excuse-moi. Je ne sais pas ce qui m'a pris.

— Il t'a pris ce qui prendrait à n'importe quelle personne qui apprend que son ami est un vampire : la frousse!

Matthew avait baissé les yeux.

— Mais qu'est-ce qui arrivera de ta relation avec Océane?

Milos avait soupiré.

— C'est ce que je me demande aussi. Ce que j'aimerais, c'est continuer ma relation amoureuse avec elle, peu importe les conditions. Je veux dire… elle pourrait devenir vampire ou non. Je ne voudrais pas la forcer. Bien sûr, si elle décidait d'entrer dans la cohorte…

Matthew avait interrompu spontanément Milos.

— Ah, ce doit être tellement merveilleux, être un vampire! Les pouvoirs, la vie éternelle…

— … vivre dans le secret, se cacher, ne pas pouvoir aimer qui on veut…

— C'est comme être gai! avait lancé Matthew à la blague, ce qui avait fait éclater de rire Milos.

— Tout ça pour dire que je dois maintenant attendre de voir comment Océane digérera tout ça.

Matthew avait gardé le silence pendant quelques secondes, procédant à sa propre évaluation mentale de la situation.

— Je suis certain qu'elle va revenir. Elle t'aime trop pour tout abandonner si facilement. *Give her time*[5].

La sonnerie de son cellulaire tira Milos de sa rêverie.

— Allô?

— Milos!

— Maman? Bonjour!

— Comme je suis contente d'entendre ta voix... euh... ta voix non enregistrée, je veux dire, précisa Grazia Menzel en faisant référence aux nombreuses fois qu'elle avait entendu le message d'accueil de Milos sur sa boîte vocale durant les derniers jours.

— Excuse-moi, maman. J'ai été très occupé. Ce n'est pas une excuse, mais... il s'est passé tellement de choses dans ma vie.

— Mais raconte, mon chéri! Papa et moi voulons tout savoir. Tu es là, Vaclav?

---

[5] Accorde-lui du temps.

— Oui, je suis là, dit le père adoptif de Milos dans l'autre appareil téléphonique de la maison familiale à Melnik, en République tchèque. Bonjour, Milos. Nous t'écoutons. Raconte-nous tout.

À la fois épuisé et las de raconter son histoire de vampires, Milos éclata de rire et se contenta de parler de tout le travail qu'il avait eu à faire sur le court-métrage qu'il tournait avec Matthew pour l'Academy. Grazia et Vaclav burent ses paroles, tellement fiers de leur fils prodige qui allait devenir un grand cinéaste un jour.

Lorsque Milos raccrocha enfin, Matthew frappa discrètement à la porte de sa chambre.

— Oui?

Après avoir ouvert doucement la porte, ce qui n'était pas dans ses habitudes, Matthew se lança :

— J'ai pensé à tout ça et j'ai pris une décision.

— À quel sujet?

— J'aimerais être un de tes six vampires.

CHAPITRE 20

Killester, 22 octobre

— De quoi parles-tu, Samantha? demanda Elizabeth à son amie bouleversée.

— Tout est ma faute, Lizzie…

— Mais ne reste pas là, je ne comprends rien de ce que tu racontes. Entre, nous allons parler.

— Non! Je ne veux pas entrer chez toi. Non. Je ne peux pas.

Elizabeth était confuse. Elle n'avait jamais vu sa meilleure amie dans un état pareil.

— Je n'en peux plus. Il faut que je te le dise, mais je ne sais pas comment. Ah, je me sens tellement coupable! Ah, je *suis* coupable.

Elizabeth sortit de la maison, heureuse d'avoir enfilé un pull de coton ouaté en cette journée d'automne frisquette et humide. Elle referma la porte, jugeant instinctivement qu'il valait mieux tenir ses parents à l'écart de ce que Samantha avait à lui annoncer.

— *Okay*, dis-moi maintenant ce qui te rend si hystérique, fit Elizabeth en se tapotant les bras pour se réchauffer.

— C'est moi, Elizabeth! C'est moi! s'exclama Samantha en faisant les cent pas sans être capable de regarder son amie en face.

Elizabeth comprenait de moins en moins.

— De quoi parles-tu? demanda-t-elle en agrippant le bras de la jeune fille pour qu'elle cesse de bouger sans arrêt.

Samantha enlaça Elizabeth comme si elle avait été une bouée de sauvetage.

— Je m'en veux tellement! Excuse-moi. Je ne voulais pas.

— Tu ne voulais pas quoi?

— Je ne voulais pas tuer Rick. Excuse-moi, Lizzie. J'ai été tellement lâche.

Elizabeth reçut la confession de sa meilleure amie comme une tonne de briques sur la tête. Pendant que Samantha pleurait sur son épaule, elle se repassa le feu roulant des événements qui avaient entouré l'accident de Rick. Une voiture avait frappé le scooter, son amoureux avait culbuté par-dessus le véhicule et s'était écrasé sur la chaussée mouillée, la voix de la conductrice…

— Lizzie? Oh, *my God*…

La voix de Samantha… Les mêmes mots soufflés cette fois dans le creux de son épaule.

C'était Samantha, sa meilleure amie, qui avait heurté Rick et fui les lieux de l'accident qui avait presque coûté la vie à son amoureux?

— Il fallait que je vienne te le dire. Je n'en pouvais plus de garder le secret.

Elizabeth était sans voix.

— Je sais que tu ne seras jamais capable de me pardonner. Je conduisais trop vite. Tout est ma faute… Mais Rick ne regardait pas où il allait et il n'a pas fait son arrêt et… Je n'arrive plus à dormir depuis l'accident. Je n'étais pas capable de te le dire parce que… je t'aime tellement. Tu es ma meilleure amie. Je ne peux pas imaginer ma vie sans toi… Pardonne-moi…

Samantha se remit à sangloter sans retenue et s'effondra sur le sol. En état de choc, Elizabeth aussi sentit ses jambes se dérober sous elle et se retrouva assise par terre, près de son amie.

Rick qui gisait sur la chaussée mouillée… Le sang qui coulait de son cou… Son corps inanimé qui mourait à petits feux dans ses bras…

— Tu as perdu Rick à cause de moi. Je l'ai tué. J'ai tué ton amour.

Son amour qu'elle avait sauvé d'une mort certaine lorsque monsieur Bradley l'avait encouragée à le faire entrer dans la cohorte.

— J'ai tellement peur, Lizzie. Je ne veux pas aller en prison. Je comprendrais que tu ne puisses pas me pardonner, mais… je t'en prie. Ne me dénonce pas à la police. Je t'en supplie. Je me sens déjà tellement coupable d'avoir tué Rick. L'accident me hante. Je suis en train de devenir folle. Je sais que la police va venir frapper chez moi d'un jour à l'autre, mais…

Elizabeth savait que personne ne pouvait avoir porté plainte. Au-delà du sang de Rick nettoyé par la pluie sur la chaussée et des débris épars de son scooter… c'était comme si l'accident n'avait jamais eu lieu. Pas de conséquences. Ou plutôt si, mais…

Samantha regardait maintenant Elizabeth dans les yeux. La supplique de son amie frappa la fille de Dracula de plein fouet.

Placidement, elle souffla :

— Rick n'est pas mort, Sam.

L'amie d'Elizabeth n'en croyait pas ses oreilles. Elle s'essuya les yeux, comme si ce geste lui permettrait de mieux entendre.

— Quoi ?

Elizabeth se releva. Elle offrit sa main à Samantha qui l'accepta, surprise.

— Il n'est pas mort ? Mais c'est impossible ! Je l'ai vu. Il était blessé si gravement…

— Viens.

— Quoi ?

— Viens.

— Où ?

— Suis-moi.

Elizabeth s'élança vers le parc où elle et son amie jouaient lorsqu'elles étaient petites et où monsieur Bradley l'avait fait entrer dans la cohorte le jour de l'accident de Rick. Elizabeth courait si vite que Samantha peinait à la suivre et avait l'impression que son amie allait lui arracher le bras.

— Pourquoi m'emmènes-tu ici? balbutia Samantha, à bout de souffle. Tu cours drôlement vite, sais-tu?

Elizabeth fit asseoir son amie sur le même banc où l'avait déposée monsieur Bradley lorsqu'il l'avait transportée jusqu'au parc après l'avoir vampirisée.

— C'est ici que tout a commencé.

Samantha regarda Elizabeth sans comprendre.

— C'est ici que je me suis réveillée. C'est ici que ma nouvelle vie a commencé mercredi dernier. Le jour de l'accident.

— Qu'est-ce que tu veux dire? Tu penses que l'accident était un cauchemar?

— Rien n'arrive pour rien. Quelques minutes avant que tu frappes Rick avec l'auto de tes parents, l'auto que tu devais utiliser pour me conduire à la gare de Killester pour que je puisse prendre le train pour Dublin avec Rick le vendredi précédent…

— Ce n'était vraiment pas ma faute, coupa Samantha. Je voulais réellement t'aider et te conduire à la gare. Ce sont mes parents qui m'en ont empêchée à cause de leur week-end surprise à la campagne, tu le sais!

— … ma vie a changé à tout jamais.

Samantha fronça les sourcils.

— Qu'est-ce que tu veux dire ?

— Si tu étais venue me conduire à la gare comme prévu… Si tu n'avais pas frappé Rick avec ta voiture…

— Je sais ! Je sais ! Pardonne-moi !

— … tu aurais seulement retardé l'inévitable.

— Où veux-tu en venir ? Je ne comprends rien !

Elizabeth fit preuve d'un flegme qu'elle ne se connaissait pas. Inconsciemment, elle savait que la situation avait tout ce qu'il fallait pour devenir explosive, mais elle sentait – instinctivement ? – qu'il valait mieux demeurer calme et pragmatique.

— Ce que je comprends, reprit Samantha, c'est que tu aurais toutes les raisons du monde de m'en vouloir. Tu ne veux plus me parler ? Tu ne veux plus rien savoir de moi ? Tu… tu m'as emmenée ici pour me régler mon compte ? Pour me tuer ?

La jeune fille se mit à reculer, les yeux envahis d'une terreur qu'Elizabeth n'avait jamais vue avant.

— Tu es ma meilleure amie, Sam.

La terreur céda la place aux larmes.

— Oui, je suis ta meilleure amie, mais j'ai été une très mauvaise amie. Excuse-moi. Pardonne-moi. Qu'est-ce que je peux faire pour que tu me pardonnes ?

Elizabeth s'approcha très lentement de Samantha, souriant affectueusement. Cette dernière avait déjà vu ce sourire qui lui avait réchauffé le cœur, mais dans les circonstances elle le trouva plus troublant que chaleureux.

— Qu'est-ce que tu me veux, Elizabeth ?

— Je veux te remercier, Samantha.

Samantha demeura interdite.

— Me remercier ? Mais de quoi ? J'ai tout gâché !

Elizabeth caressa sensuellement les cheveux de Samantha en ne quittant pas son amie des yeux. Troublée par la douceur du toucher d'Elizabeth, Sam se rappela les beaux moments qu'elle avait vécus avec son amie dans sa chambre, au début de l'été dernier. Que se passait-il maintenant dans la tête d'Elizabeth ? Voulait-elle encore faire l'amour avec elle, cette fois pour oublier la douleur qui la minait après avoir perdu Rick ? Elles n'allaient quand même pas commencer à s'embrasser là, au milieu du parc, même si, pour le moment, il semblait désert ? Quelqu'un pouvait arriver, pouvait passer…

— Tu n'as pas tout gâché. Au contraire, tu as changé ma vie pour le mieux.

— Quoi ?

— Je te l'ai dit. Rien n'arrive pour rien. Si tu étais venue me chercher pour m'emmener à la gare, je n'aurais pas rencontré monsieur Bradley.

Samantha fronça les sourcils. Elle était de plus en plus perdue… et de plus en plus troublée par les douces mains d'Elizabeth qui se baladaient dans ses longs cheveux ondulés.

— Et si je n'avais pas rencontré monsieur Bradley, je n'aurais jamais su qui j'étais vraiment.

Elizabeth balaya la chevelure de Samantha derrière ses épaules et effleura le cou de son amie avec ses ongles, ce qui fit frissonner la jeune femme des orteils à la racine des cheveux.

— Je n'aurais jamais su que Molly O'Neil et Patrick Gurney ne sont pas mes vrais parents. Qu'ils m'ont adoptée quand j'étais bébé. Qu'en réalité je suis Mary Jane Clayton, la fille biologique de Lucy Clayton et de Vlad Tepes Dracul, une fleuriste londonienne et un comte roumain.

Samantha écarquilla les yeux, mais elle n'osa pas dire un mot. Elle ne pensait qu'au choc que son amie avait dû avoir en apprenant à presque seize ans qu'elle avait été adoptée !

— Je n'aurais jamais su que mon père biologique avait eu des enfants avec d'autres femmes, soit mon demi-frère Milos et ma demi-sœur Sarah. Milos habite à New York, aux États-Unis, et Sarah vit à Québec, au Canada.

Elizabeth dégageait une grande impression de sérénité et de paix. Samantha savait que cela était inhabituel chez son amie.

— Maintenant, je sais qui je suis. Vraiment. Et tout ça, c'est un peu grâce à toi, Samantha. Tu es ma meilleure amie, ma sœur cosmique. Je t'aime.

Samantha se mit à pleurer.

— Moi aussi, je t'aime, Lizzie. Ça veut dire que tu me pardonnes ? Comme ça ? Tout simplement ?

Elizabeth sourit à son amie.

— Je n'ai rien à te pardonner. Il me faut plutôt te témoigner ma reconnaissance.

La tête de Samantha se mit à tourner. Que d'émotions et de revirements en si peu de temps !

— Toi et moi, Samantha, c'est pour toujours. À la vie, à la mort, non ?

— Oh, oui, Lizzie, oui ! Merci ! Merci !

Samantha serra Elizabeth très fort dans ses bras.

— À la vie, à la mort ? Tu me suivrais n'importe où ? demanda Elizabeth qui mit fin à l'étreinte de son amie et recommença à caresser sensuellement ses cheveux.

— Mais oui, c'est sûr ! Où veux-tu m'emmener ?

Elizabeth sourit.

— Ma sœur, la famille va s'agrandir.

Elizabeth balaya à nouveau les cheveux de Samantha derrière son épaule et posa sa bouche sur le cou laiteux de son amie.

Samantha ne put s'empêcher de penser qu'il était bizarre – voire incestueux! – d'appeler sa meilleure amie « sa sœur » juste avant de l'embrasser aussi sensuellement.

— Comme moi, tu veux faire partie de la grande famille des vampires, Sam?

Samantha était abasourdie.

— À la vie, à la mort? murmura-t-elle.

Samantha prit la tête d'Elizabeth entre ses mains et la regarda dans les yeux, cherchant à voir si celle-ci était sérieuse. Rapidement, elle comprit qu'il ne s'agissait pas du tout d'une plaisanterie.

Elizabeth expliqua :

— Nous serons si bien ensemble, toi, moi, Rick, Milos… Nous serons liés par le sang et par l'amour, passionnel ou filial. Tu veux?

Sans plus de cérémonie, Samantha offrit son cou à sa sœur cosmique, sa complice de toujours.

Elizabeth parcourut la jugulaire de Samantha avec sa langue avant de planter ses dents dans le cou de son amie. Le corps de Samantha se raidit et la jeune femme gémit en s'agrippant à Elizabeth pour éviter de s'effondrer sur le sol.

Elizabeth posa doucement le corps de Samantha sur le banc. Elle termina ensuite l'entrée de sa compagne dans la cohorte. C'est alors que Tim Roberts, l'ancien ami de cœur d'Elizabeth, passa sur le trottoir. Il aperçut les deux filles qui semblaient se caresser au vu et au su de tous, au milieu du parc. Le jeune homme regarda partout autour de lui. Personne. Il était seul. Seul avec ces deux filles qui semblaient…

— Elizabeth ? balbutia-t-il, soufflé. Avec Samantha ? Tu… tu m'as laissé tomber… pour une fille ?

Le jeune homme quitta les lieux, le cœur chamboulé.

CHAPITRE 21

Québec, 23 octobre

Sarah quitta la maison le cœur léger en ce beau lundi matin frais, mais ensoleillé. Elle avait bien dormi, elle se rendait à l'école où elle verrait ses amis et celui qui faisait virevolter des papillons multicolores dans son ventre. De plus, toutes les ambiguïtés qui avaient risqué de nuire à sa relation avec ses parents adoptifs semblaient maintenant dissipées.

— Le bal costumé est dans quatre dodos, chantonnait-elle en s'amusant de cette référence à l'époque où elle comptait les nuits avant un événement excitant comme Noël, son anniversaire de naissance, une fête d'amis…

En empruntant la rue Port-Dauphin, Sarah songea à monsieur Dumitru ; son pas perdit un peu d'entrain. «Est-ce que je vais penser à ça chaque fois que je prendrai cette rue, maintenant ? se gronda-t-elle. Je l'empruntais tous les jours avant cette rencontre. Il faut que j'en revienne, hein ? Je m'en vais à l'école, au Petit Séminaire, pas loin de chez moi, dans le Vieux-Québec, là où mes amis – mes vrais amis – m'attendent, bon !»

Pour se changer les idées, elle décida de fredonner un air connu. Toutes les manières étaient bonnes pour oublier son père biologique et les choses odieuses qu'il tentait de lui imposer. Rapidement, elle retrouva le sourire et ses pas reprirent de la vigueur.

Elle marcha pendant un moment avant de ralentir encore, cette fois pour retirer les écouteurs de son baladeur numérique des poches de son manteau. Pendant qu'elle choisissait ce qu'elle voulait écouter, elle s'arrêta net et fut bousculée par un piéton qui la suivait de trop près.

— Oh, excuse-moi, dit l'adolescent légèrement plus grand que Sarah en forçant un sourire, mal à l'aise, avant de doubler la jeune fille rapidement, comme s'il avait été terriblement pressé.

Interloquée, Sarah put entrevoir le visage du maladroit avant qu'il remonte le capuchon de son parka sur sa tête. Elle eut l'impression d'avoir déjà vu ce garçon. Elle remarqua, sous le manteau du jeune homme, le pantalon réglementaire du Petit Séminaire. «Niaiseuse! C'est sûrement à l'école que tu l'as vu, se raisonna-t-elle. Mais qu'est-ce qu'il a à être si pressé? Il reste encore une demi-heure au moins avant la première cloche… Ah, les gars!»

En entrant dans la cour du Petit Séminaire, Sarah brossa l'horizon du regard, comme elle le faisait tous les matins, à la recherche de visages familiers. Aujourd'hui, elle était la première de sa bande à fouler le terrain de l'école. Le garçon qui l'avait bousculée n'était pas là non plus. Étrange. Était-il déjà entré? Si oui, il marchait drôlement vite.

Sarah haussa les épaules et pénétra dans l'école pour se rendre aux casiers.

Dans les longs couloirs de l'école secondaire, tout était particulièrement calme à cette heure. Certaines lumières n'avaient même pas encore été allumées par le concierge qui faisait habituellement sa tournée très tôt le matin.

Sarah marcha au son de l'écho des semelles dures de ses chaussures d'école. En approchant d'une intersection, la jeune fille remarqua une ombre humaine sur le plancher. Elle eut le réflexe de ralentir. L'ombre rapetissa au fur et à mesure qu'elle approchait de la croisée des chemins. Arrivée au couloir perpendiculaire, elle regarda pour voir qui était là. Il n'y avait personne. Personne ?

— Mais voyons, ce n'est pas possible ! J'ai vu une ombre…

Elle fit quelques pas dans le couloir encore mal éclairé et jeta un regard à la fenêtre des deux salles de classe où aurait pu s'être glissé l'individu à qui l'ombre appartenait, mais… elle ne vit personne et constata que les portes étaient verrouillées.

— Mais oui ! Ce doit être un fantôme, hein ? rigola-t-elle en se trouvant un peu ridicule.

Elle haussa les épaules et retourna dans le corridor qui la mènerait aux casiers.

— Sarah !

L'interpellée sursauta, puis elle se tourna vers Simon Pelletier qui arrivait du même couloir qu'elle venait de parcourir.

Sarah se mit à rire, portant sa main à son cœur.

— Tu m'as fait peur.

— Qu'est-ce que tu faisais dans le corridor des secondaires quatre ?

— Je chassais les fantômes, répondit Sarah, en blaguant. Tu ne savais pas que le Petit Séminaire est hanté ? Des anciens élèves morts dans des circonstances mystérieuses déambulent dans les couloirs de l'école à la recherche de jeunes âmes à corrompre. Hooooouuu !

Simon rigola.

— Je vois que tu es vraiment prête pour l'Halloween, hein ?

— Tu n'as pas idée, Simon, dit Sarah avec une ironie que le jeune homme ne pouvait pas saisir.

Simon sourit.

— C'est *cool* ! Et bonne nouvelle : j'ai trouvé mon costume de Roméo. Il est vraiment *hot*. Tu as ton costume, toi ?

Sarah rosit de plaisir.

— Oui, je l'ai vu chez le Costumier du Roy. Jolane et moi, nous irons le réserver après l'école.

— J'ai tellement hâte à vendredi. Ça va être tout un *party*. Ma grande sœur est dans le comité des décorations.

Elle m'a montré plein d'affaires. Des toiles d'araignées, des têtes de mort, des squelettes, des tarentules de l'enfer… Ils ont même loué des décorations qui bougent toutes seules et des éclairages incroyables! Ça va être vraiment laid!

Sarah gloussa:

— Dans le bon sens, évidemment!

— C'est sûr! Tu as quoi, ce matin, à la première période?

— Français, répondit spontanément Sarah en se rappelant qu'elle et Simon étaient dans le même groupe.

Le garçon se sentit un peu ridicule de ne pas s'en être souvenu.

— Ah oui, c'est vrai! Ça te tente qu'on marche ensemble jusqu'aux casiers? demanda-t-il en tendant la main à Sarah.

Cette dernière prit la main de son ami avec plaisir. C'était la première fois qu'ils marchaient main dans la main. C'était un peu le signe qu'ils… sortaient ensemble, non?

Les joues empourprées, les jeunes amoureux se dirigèrent vers les casiers de la première secondaire.

— Tu ne la connais pas, ma sœur, hein? Elle est en quatre. Elle est vraiment super. Je vais te la présenter au bal. Elle s'appelle Ariane. Elle va être déguisée en Morticia Addams.

Sarah ne put s'empêcher de penser que, même si cette relation commençait à peine, c'était du sérieux si Simon voulait lui présenter sa grande sœur. Wow! À quand le souper avec les beaux-parents? Elle étouffa un rire que Simon ne put faire autrement que de remarquer.

— Qu'est-ce qui te fait rire?

Sarah rougit.

— Ah, rien. Je suis juste contente, c'est tout.

Ce fut au tour de Simon de rougir.

Ils poursuivirent leur marche en silence, ralentissant inconsciemment leurs pas à l'unisson, comme s'ils avaient voulu faire durer plus longtemps ce premier moment d'intimité. Soudain, Sarah sentit une présence derrière eux. Quelqu'un les avait rattrapés. Lentement, la jeune fille jeta un regard par-dessus son épaule droite. Elle aperçut, directement derrière elle et Simon, comme s'il avait voulu passer entre eux, le jeune homme qui l'avait doublée sur la rue Port-Dauphin. Surprise, Sarah lâcha la main de Simon.

Le jeune homme eut un petit sourire coquin que Sarah reconnut soudainement.

— Ah… salut! dit-il comme s'il la connaissait, ou plutôt comme s'il la reconnaissait et qu'il était surpris de la voir là.

Les yeux écarquillés, Sarah balbutia:

— Sa… salut…

Pas de doute : c'était le garçon qui l'avait maladroitement bousculée plus tôt sur Port-Dauphin. Était-ce lui qui l'avait suivie sur la rue Saint-Jean la veille ? Oui. Elle aurait reconnu ces yeux n'importe où. De si proche, Sarah remarqua que l'inconnu la dépassait d'une tête, qu'il était beaucoup plus beau vu de près, que la cravate lui allait vraiment bien, qu'il était costaud… style moitié nageur de compétition, moitié haltérophile.

— Excuse-moi encore, déclara le garçon en regardant Sarah dans les yeux, ignorant complètement la présence de Simon.

Troublée, la jeune fille agrippa Simon par le bras.

— Est-ce que tu le connais, ce gars-là ? demanda-t-elle spontanément en chuchotant presque, espérant que Simon saurait l'éclairer un peu, lui qui connaissait peut-être certains étudiants plus vieux du Petit Séminaire étant donné que sa sœur fréquentait l'établissement depuis maintenant quatre ans.

— Je ne l'ai jamais vu de ma vie, avoua Simon, déçu que Sarah semble s'intéresser à ce garçon comme s'il avait été une vedette de cinéma.

Sarah regarda l'étranger s'éloigner, les sourcils froncés. Lorsqu'il eut tourné un coin, au loin, elle ramena ses yeux sur Simon. Sentant le désarroi de celui qu'elle aimait, elle sourit et posa doucement ses lèvres sur les siennes.

Simon comprit à qui le cœur de Sarah appartenait.

CHAPITRE 22

New York, 25 octobre

Pendant les trois jours qui suivirent, Milos tenta tant bien que mal de se concentrer sur ses études qu'il avait beaucoup négligées depuis son départ pour la Transylvanie… et même depuis son retour!

Il voulait laisser à Océane le temps dont elle semblait avoir besoin pour réfléchir, mais il ne pouvait s'empêcher de l'appeler ou de lui envoyer un message texte au moins deux fois par jour. Il ne voulait pas être envahissant, mais il avait peur qu'elle l'oublie. «Comme si c'était possible», s'était dit Océane en lisant son message de la veille dans lequel il avait justement écrit qu'il souhaitait qu'elle ne l'oublie pas. La jeune femme s'en voulait de ne pas être capable de tourner la page, alors qu'elle s'était juré que les histoires d'amour compliquées, c'était terminé pour elle. Ah, les hommes!

Milos avait travaillé toute la nuit du dimanche au lundi pour remettre à monsieur Hoffmann son essai pour le cours de *History of American Cinema*. Le professeur avait semblé impressionné que le jeune homme ne lui présente pas une histoire abracadabrante pour justifier son retard. Non. Le travail avait été remis à temps. Milos avait ensuite consacré le reste de la journée du lundi à travailler au montage du court-métrage qu'il réalisait avec Matthew. Les deux compères avaient passé l'après-midi et la soirée à peaufiner ce petit film dont ils étaient particulièrement fiers. Il ne restait plus qu'à voir si madame O'Donnell, leur superviseure, serait aussi épatée.

Pendant plus de quarante-huit heures, Milos, tout en tentant de renouer avec Océane, avait dû esquiver les supplications incessantes de Matthew qui s'était mis en tête de devenir un vampire. Il semblait voir toute cette histoire comme une belle aventure et, malgré toutes les tentatives de découragement de Milos, le jeune homme n'en démordait pas.

— Il n'en est pas question, Matthew. Je ne peux pas te faire ça…

— Mais je te le demande. Je te supplie, même. Je *veux* devenir un vampire.

— Tu ne comprends pas.

— Qu'est-ce que je ne comprends pas?

— Tu ne peux pas comprendre.

— Qu'est-ce que je ne peux pas comprendre?

— Toutes les conséquences. Tout ce que ça comporte. Ce n'est pas un jeu, Matthew. Si tu deviens un vampire, c'est pour toujours.

— Cet argument ne me dissuadera pas, Milos!

Depuis dimanche, les deux compagnons avaient eu des dizaines de conversations sans fin, qui tournaient en rond. Milos en était rendu à fuir Matthew. Depuis qu'ils avaient terminé le court-métrage, ils avaient moins de raisons de se retrouver assis côte à côte, ce dont Milos se réjouissait. Malgré les supplications de son colocataire et ami, le fils de Dracula ne pouvait se résoudre à l'idée de le faire entrer dans la cohorte.

— Mais comment feras-tu en moins de dix jours pour trouver cinq autres personnes que tu aimes et qui accepteront de devenir des vampires si tu ne prends même pas ceux qui s'offrent à toi sur un plateau d'argent?

Milos aussi se posait la question, mais sa conscience le turlupinait davantage que son besoin d'atteindre le but fixé par son diable de père. D'ailleurs, il se demandait bien comment réussir un tel mandat sans basculer dans le monde du mal. Le temps pressait, oui, mais il ne se voyait pas partir à la chasse et retracer toutes les personnes qu'il avait aimées ou qu'il aimait pour les vampiriser! Matthew, Océane, Zoya… Zoya? L'avait-il vraiment aimée ou avait-elle été seulement une compagne de lit agréable? «Non, on peut dire que nous nous sommes un peu aimés quand même, je crois», se dit-il. Mais des êtres qu'il aimait d'un amour profond, il n'y en avait pas tant que cela. Et il n'était pas question qu'il vampirise ses parents adoptifs! Comment ferait-il pour trouver cinq autres personnes?

Pris dans ses réflexions, le jeune homme continua néanmoins à cheminer vers la bibliothèque de l'Academy. Il allait y effectuer un travail de recherche sur l'œuvre de Tim Burton qu'il devait remettre la semaine suivante. Il sortit son téléphone cellulaire et composa le numéro d'Océane, convaincu encore une fois qu'elle ne lui répondrait pas.

— Allô?

— Océane?

— Non. Océane est sous la douche. Je peux lui faire un message?

Milos ne comprenait pas pourquoi quelqu'un d'autre qu'Océane répondait à son cellulaire. Il ne put cependant s'empêcher de penser que, heureusement, la voix était féminine. Si une voix masculine avait répondu pendant que la jeune femme était sous la douche, Milos ne savait pas comment il aurait pris ça!

Sa curiosité le rendit toutefois un peu plus effronté que d'ordinaire.

— Qui êtes-vous?

— Une… amie. Claudia. Et vous?

— Milos. Milos Menzel. Je suis son… Elle… elle me connaît.

Il y eut un petit silence au bout du fil.

— Oui, je sais.

Milos perçut un malaise dans la voix de son interlocutrice. Il rompit le court, mais lourd, silence qui s'était installé.

— Alors vous direz à Océane que j'ai téléphoné?

— Euh… oui, bien sûr, mais… je ne suis pas certaine qu'elle vous rappellera.

Le ton n'était ni possessif ni agressif ou condescendant, mais Milos fut agacé par cette impression très forte que quelqu'un s'interposait entre Océane et lui. Il inspira profondément pour ne pas répondre trop belliqueusement. La jeune femme en profita pour ajouter, tout gentiment:

— Je suis désolée.

Milos détecta un petit accent espagnol dans l'anglais de la jeune femme, qu'il n'avait pas remarqué jusque-là. Il décida de jouer le tout pour le tout et de profiter du fait qu'il parlait couramment plusieurs langues, dont l'espagnol.

— *Discúlpeme, pero si usted me permite… amo profundamente a Océane y… quiero hacer mi vida con ella. Estoy dispuesto a todo. A respetar su ritmo, sus condiciones. Puedo decírselo? Necesito ayuda. Yo no consigo hacérselo entender*[6].

Impressionnée et émue, la jeune Équatorienne naturalisée américaine baissa le ton légèrement et chuchota:

— *Voy a ver qué puedo hacer. Chau*[7].

---

[6] Pardonnez-moi, mais si je peux me permettre… J'aime profondément Océane et… je veux faire ma vie avec elle. Je suis prêt à tout. À respecter son rythme, ses conditions. Vous pouvez le lui dire? J'ai besoin d'aide. Je n'arrive pas à lui faire comprendre.

[7] Je vais voir ce que je peux faire. Au revoir!

Le cœur de Milos bondit. Il sentait qu'il avait maintenant une alliée en Claudia.

— *Gracias, Claudia, muchas gracias. Adiós!*

Après avoir raccroché, il poussa un petit *«Yes!»* en levant ses bras au-dessus de sa tête en signe de victoire. Bien sûr, la bataille n'était pas gagnée, mais il sentait au moins qu'il avait fait un pas, ce qui était mieux que rien!

Alors que Milos venait de se remettre à marcher, une porte s'ouvrit brusquement à côté de lui et une main agrippa son bras gauche. Le jeune homme fut tiré dans un local obscur.

Déstabilisé, Milos prit quelques secondes avant de réaliser ce qui se passait. Encore dans le bonheur qu'il éprouvait devant l'éventualité de retrouver Océane, il fut d'abord amusé par cette drôle d'affaire qui lui arrivait et qui ressemblait à un enlèvement. Il ne put s'empêcher de se dire «Encore!?» en faisant référence à l'intervention de monsieur Cartwright moins de deux semaines plus tôt.

— Milos, j'ai besoin de toi, fit une voix féminine sensuelle dans l'obscurité pendant que des mains baladeuses parcouraient le corps du jeune homme et qu'un souffle haletant et chaud chatouillait ses joues, son cou et ses oreilles.

Milos reconnut le parfum de la jeune femme: *Crystal Noir* de Versace.

— Cassandra?

— Tu ne peux pas me laisser comme ça. Il faut que tu termines ce que tu as commencé.

Milos ne comprenait pas ce que Cassandra voulait dire, mais il sentait l'insistance de la jeune femme. Ses yeux s'ajustèrent à la noirceur. Il constata que Cassandra était en nage et qu'elle tremblotait, agitée comme si elle avait terriblement froid. On aurait dit une héroïnomane en manque!

— Pourquoi n'allumes-tu pas la lumière? demanda Milos en faisant un pas vers l'interrupteur.

Cassandra l'agrippa violemment.

— Non! *Don't touch that switch*[8]. La lumière m'est insupportable. Elle me brûle les yeux et me donne mal à la tête.

Milos fit encore une fois un rapprochement avec une personne souffrant d'une dépendance à la drogue ou d'un lendemain de veille particulièrement arrosée…

— Qu'est-ce qui t'arrive, Cass?

— Il faut que tu termines ma transformation. Il fallait que tu me vampirises deux fois en moins de quarante-huit heures. Tu ne le savais pas? Moi, je l'ai appris à mes dépens. Où étais-tu? Je te cherchais partout. Le délai est passé. Je n'en peux plus.

Milos n'avait eu aucune indication qu'elle tentait de le joindre. Étrange. Cassandra était clairement désespérée. Elle s'agrippa au col de chemise du jeune homme

---

[8] Ne touche pas à cet interrupteur.

et le tira vers elle. L'urgence ne faisait pas de doute. Milos ressentit la culpabilité qui l'avait grugé après avoir vampirisé Cassandra, et il hésita.

— Non! s'exclama-t-elle après avoir lu dans les pensées de son ami. Ce n'est pas le temps d'avoir des remords maintenant. Je vais mourir si tu n'agis pas tout de suite. M'entends-tu? Fais-le!

Milos hésita encore. Cassandra tira un stylet de bois de sa poche et le tint comme un poignard, menaçante.

— Milos! Termine ma transformation maintenant ou je ne serai pas la seule à mourir.

Milos comprenait fort bien le désespoir de Cassandra, mais comment cette jeune femme si calme et si charmante pouvait-elle avoir subi un tel changement de personnalité? La transformation était troublante.

— Cassandra, tu ne veux pas me faire du mal. Tu ne veux pas me tuer. Regarde-moi dans les yeux un moment.

La jeune femme se mit à pleurer.

— Ne me dis pas ce que je veux, Milos. Je sais ce dont j'ai besoin. Si tu as déjà eu ne serait-ce qu'une once d'affection pour moi, ne me laisse pas tomber.

Cassandra balaya sa tignasse rousse derrière son épaule droite et attira la bouche de Milos vers son cou pour la plaquer sur les deux petits trous cicatrisés. Le visage souriant d'Océane apparut à Milos lorsqu'il ferma les yeux.

— Non, ordonna Cassandra. Ne pense pas à elle ! Reste ici avec moi. Tu seras tout à elle… après.

La jeune femme tenait Milos si solidement contre elle qu'il éprouvait de la difficulté à respirer, sa bouche et ses narines étant plaquées contre la peau froide et diaphane de Cassandra.

— Ne me laisse pas tomber, Milos.

Ce dernier sentit la pointe du stylet de Cassandra percer sa chemise et sa peau comme une aiguille à la hauteur de son omoplate gauche. À la fois pris de panique et de colère, Milos réussit à éloigner un peu son visage du cou de Cassandra. Il inspira profondément et plongea ses dents dans la jugulaire de la jeune femme. La belle rousse se raidit ; elle cambra les reins spontanément vers Milos, ce qui fit presque perdre pied à celui-ci et jeta de l'huile sur le feu de sa colère. Le jeune homme passa sa main sous la chevelure de Cassandra et s'empara d'une poignée de cheveux qu'il tint solidement contre la nuque de la jeune femme comme un cavalier le ferait avec la crinière d'un cheval fou pour éviter d'être jeté au sol.

— *Yes, baby !* lança Cassandra, soulagée et excitée devant ses perspectives d'avenir.

Milos ferma les yeux et répondit aux besoins de sa compagne qu'il ne reconnaissait plus.

CHAPITRE 23

Québec, 27 octobre

Au Petit Séminaire, la fébrilité avait été à couper au couteau depuis le début de la semaine. Les étudiants ne se pouvaient plus d'attendre le bal costumé. Celui-ci aurait lieu le vendredi soir même si l'Halloween n'était que le mardi suivant. Par tradition et par logique, les fêtes étaient toujours célébrées le vendredi ou la veille d'une journée pédagogique afin que les élèves soient en congé le lendemain.

Les dix étudiants du comité organisateur, choisis parmi les plus performants sur le plan scolaire, avaient eu droit à des périodes libres ici et là dans leurs horaires au cours de la semaine. Ces permissions leur avaient été accordées pour fabriquer des décorations, créer des images qui seraient projetées sur les murs de la grande salle pendant la danse, réserver le matériel qu'il fallait louer pour assurer l'éclairage, la musique… Pendant tout le mois d'octobre, les cours de madame Tourigny, l'enseignante en arts plastiques, avaient été consacrés à fabriquer des masques terrifiants que l'on suspendrait au plafond et accrocherait aux murs, des toiles affolantes qui tapisseraient les couloirs menant à la salle, des statues et des sculptures représentant des fantômes, des morts-vivants, des zombies, des loups-garous et autres créatures nocturnes effrayantes.

On avait prévu de la nourriture «à saveur d'Halloween». Il y aurait des amuse-gueules rigolos tels des sandwichs au pain noir ou vert découpés en forme d'araignées et de scorpions; des petits pains fourrés noirs décorés comme des scarabées, des blattes et des cancrelats; des réglisses noires en forme de chauves-souris; des œufs cuits durs décorés comme des globes oculaires tachés de sang... On avait commandé des boissons non alcoolisées – évidemment! –, mais néanmoins amusantes avec leurs couleurs étranges et leurs textures douteuses. Incontournable, le gros bol de punch – glace sèche et lumière verdâtre intégrées – allait épater tout le monde.

Sarah était allée chercher sa robe chez le costumier avec sa meilleure amie. Simon, Jolane et Francis avaient également leurs costumes. Tout était fin prêt pour que le quatuor de la première secondaire profite pleinement de son premier bal costumé au Petit Séminaire.

La préadolescente avait même envoyé des courriels à son frère et à sa sœur pour savoir s'ils avaient toujours l'intention de venir la voir. Tous deux avaient confirmé leur présence... clandestine, évidemment! Il y avait une seule chose qui faisait tiquer Sarah. Ni Milos ni Elizabeth n'avaient voulu dévoiler à leur petite sœur en quoi ils seraient déguisés...

†

Killester, 27 octobre

Pendant ce temps, à Killester, Elizabeth avait tenté un retour à St. Mary's Secondary School, mais l'expérience s'était avérée plutôt désastreuse… et déterminante.

Au début de la semaine, elle avait été soit harcelée par des filles qui lui demandaient sans gêne où elle était passée pendant son absence, soit agacée par d'autres, celles qu'elle ne se gênait pas pour appeler «les pétasses», qui ricanaient dans leur coin en la montrant du doigt avec leurs airs supérieurs. Comme elle aurait voulu avoir des ongles aussi longs que ceux de certains vampires qu'elle avait vus dans les films ! Les extrémités de leurs doigts devenaient des griffes acérées, des armes impitoyables avec lesquelles ils tranchaient la gorge de pauvres mortels insignifiants qui ne méritaient pas mieux.

Elizabeth aurait transformé avec joie certaines des pouffiasses de son école en fontaines de sang, et d'autres en statues défigurées par ses ongles impitoyables, surtout celles qui passaient beaucoup trop d'heures devant la glace à se trouver belles. Ou encore, elle les aurait changées en grossières créatures répugnantes qu'aucun garçon ne pourrait regarder autrement qu'avec un profond dégoût !

Elle se sentait méchante et se dit que ce n'était pas le genre de vampire qu'elle voulait devenir. Non. Elle s'était bien promis de ne faire que du bien autour d'elle… du moins, dans la mesure du possible. Elle ne se servirait pas de ses pouvoirs pour se venger ou pour faire le mal.

— Veux-tu bien me dire ce que je suis venue faire ici ? demanda-t-elle à Samantha après plusieurs heures à endurer les commentaires désobligeants, les regards réprobateurs, les airs supérieurs.

Samantha jeta un œil de tout côté avant de chuchoter.

— Nous sommes venues à l'école pour donner l'impression que rien n'avait changé dans nos vies. Il ne faut pas que qui que ce soit se doute que nous sommes des vampires.

Elizabeth haussa les épaules.

— Je sais, mais je ne crois pas que je serai capable de jouer le jeu. J'ai toujours détesté ces filles, cette façon si… féminine qu'elles ont d'être… hypocrites, méchantes avec celles qu'elles ne daignent pas accepter dans leur club sélect de poupounes populaires pimpantes et superficielles qui se regardent le nombril. Je ne vois pas comment je pourrai les endurer davantage maintenant que je sais qui je suis vraiment.

Pendant qu'une petite troupe de filles gloussait dans un coin, Samantha sourit timidement en s'approchant encore plus d'Elizabeth.

— Ne parle pas si fort. Elles pourraient se douter de quelque chose.

Elizabeth éclata de rire.

— Elles ? Se douter de quelque chose ? Se douter de quoi ? Que je suis maintenant la nouvelle reine montante de la musique punk ? J'espère bien qu'elles achèteront mon nouvel opus.

Comme une chorale d'enfants bien dirigée, les membres du petit troupeau bêlèrent un rire en cascade tout en levant les yeux au plafond.

— Regarde-les, dit Elizabeth avec dégoût. Je ne suis plus capable de respirer le même air que ces chipies. Il est vraiment temps que j'abandonne l'école.

— Quoi?

— Tu m'as très bien entendue, Samantha.

— Tu m'abandonnes?

— Oh, ne sois pas si… tragique. Ce n'est pas toi que j'abandonne, c'est l'école. Je n'ai jamais eu ma place ici… Et depuis que j'ai donné l'heure juste à mes parents, j'ai un peu l'impression d'être enfin libre de tout ça. Je suis prête à passer à la prochaine étape. Alors oui, Sam, je quitte cet asile.

Samantha articula péniblement, comme si elle ne voulait pas vraiment entendre la réponse:

— Tu ne… resteras pas… à Killester, n'est-ce pas?

Elizabeth prit son temps avant de répondre.

— Je ne sais pas. Peut-être… peut-être que ça dépendra de Rick.

Le visage de Samantha s'assombrit. Elizabeth s'approcha spontanément d'elle pour prendre le visage de son amie dans ses mains.

— Mais toi et moi, Sam, c'est pour la vie. Enfin… tu comprends…

La chorale des vipères parfumées ricana. Elizabeth crut entendre le mot «lesbienne», mais elle n'en était pas certaine.

— Nous allons peut-être nous retrouver sur Internet, enchaîna-t-elle après avoir jeté un regard vers les filles. Non. Ne les regarde pas. Elles n'en valent pas la peine. Si elles veulent partir des rumeurs, qu'elles le fassent. Je m'en fous. Regarde-moi, Samantha. Nous sommes liées pour l'éternité maintenant. Je ne te demande pas de me suivre, de quitter l'école toi aussi. Tu es beaucoup plus à l'aise dans la vie quotidienne que moi, tu comprends? Tu le sais bien. Ce n'est pas un reproche. Je t'admire. J'aimerais te ressembler, mais c'est impossible.

Samantha esquissa un sourire.

— Hé, les Barbie Girls! s'écria Elizabeth en se tournant vers le petit essaim de prétentieuses. La reine des enfants de la nuit vous dit: «*Ciao! I'm out of here, baby!*[9]»

La directrice de St. Mary's, Miss Harrington, qui passait par là, critiqua l'insolence d'Elizabeth et le volume trop élevé de sa voix.

— Miss Gurney! Quelles sont donc ces manières grossières? Vous n'êtes pas dans une étable ici!

Elizabeth baissa les yeux.

— C'est vrai, Miss Harrington. Je vous demande pardon.

-----

[9] Salut! Je me pousse d'ici, bébé!

Elle fit une révérence à la directrice avant de se tourner vers les demoiselles dandines. Puis elle dit un peu plus fort:

— Dans une grange, les vaches auraient beaucoup plus de classe.

Elizabeth sourit malicieusement à la directrice et entreprit un dernier tour de l'école en courant, question de figer dans sa mémoire chacun des mauvais souvenirs qu'elle gardait de cette institution où elle ne s'était jamais sentie si étrangère.

Miss Harrington jeta un regard à Samantha, qui haussa tristement les épaules en voyant son amie disparaître.

En sortant de l'école, Elizabeth inspira profondément comme si elle venait de s'échapper d'une prison où elle aurait été privée de la lumière du jour pendant de nombreuses années.

— Terminé! s'écria-t-elle.

Comme elle s'apprêtait à aller rejoindre Rick au restaurant où il avait repris le boulot, Elizabeth entendit quelqu'un crier son nom. En se retournant, elle aperçut Marcy Jennings qui courait dans sa direction.

— Tu t'en vas? Mais pourquoi?

— Marcy, je n'ai pas le temps de t'expliquer.

— Mais pourquoi tu ne m'as pas rappelée l'autre jour?

Le ton larmoyant de l'adolescente avait quelque chose de pathétique et de troublant.

— Tu m'as appelée ?

— Mais oui. Ta mère ne te l'a pas dit ?

— Non. Elle a sûrement oublié.

Elizabeth ne put s'empêcher de penser : « Note à moi-même : remercier maman de ne pas m'avoir dit que Marcy m'avait téléphoné. »

— Je dois y aller maintenant.

Marcy agrippa Elizabeth par le bras pour l'empêcher de partir.

— Mais où ?

— Marcy ! Lâche-moi !

La main de l'interpellée desserra son emprise instantanément comme si Elizabeth avait été brûlante.

— Marcy, je... je ne veux pas te faire de peine, mais...

L'adolescente au déni profond sourit de toutes ses dents. Elizabeth remarqua alors pour la première fois que Marcy avait même des taches de rousseur sur les lèvres. Elle releva les yeux vers le regard suppliant de la jeune femme, dont les très longs cils roux paraissaient presque blancs.

— Tu ne me fais pas de peine, tu es ma meilleure amie.

Elizabeth eut une petite hésitation. Elle savait que Marcy lui vouait de l'admiration, mais elle ne comprenait pas comment sa compagne de classe avait pu fabuler à ce point.

— Écoute, Marcy… Ce n'est rien de personnel, mais… je ne peux pas être ta meilleure amie parce que… je…

La tristesse qu'elle lut dans les yeux de l'autre obligea Elizabeth à changer ses propos.

— Je… ne suis pas une fille à amis. Je veux dire que… je n'ai pas vraiment d'amis. Je suis un peu sauvage, tu sais, et…

— Oui, je sais. C'est une des choses que j'aime le plus chez toi. J'admire ce côté direct, irrévérencieux, fonceur que tu as. La façon dont tu as affronté les filles tout à l'heure… Wow! Tu es mon idole!

Marcy l'avait observée? Elizabeth n'avait même pas remarqué que la jeune femme était dans les parages. La suiveuse l'avait donc vue avec Samantha? «Alors comment fait-elle pour croire ce que je viens de lui dire sur moi et l'amitié?» se demanda Elizabeth.

— J'aimerais vraiment être comme toi.

Les paroles de Marcy étonnèrent Elizabeth, jusqu'à ce qu'elle se rappelle la teinture ratée que la rouquine s'était infligée – le mot n'était pas trop fort – pour lui ressembler lorsqu'elle était passée au *look* gothique.

Pour se montrer gentille, Elizabeth répondit:

— Tu es vraiment très bien comme tu es, Marcy. Tu n'as pas besoin de changer pour que les autres t'apprécient.

Les yeux de Marcy s'illuminèrent.

— Tu crois ? Ah, merci, Elizabeth. Tu ne peux pas savoir à quel point tu me fais du bien.

Elle s'élança vers Elizabeth et l'enlaça comme si elle avait été une bouée de sauvetage. La fille de Dracula ne put s'empêcher de sourire intérieurement. Avec une telle marque d'affection, elle pouvait très bien deviner à quel point elle avait fait du bien à Marcy avec ses mots. Cependant, elle se mit à regretter de les avoir prononcés lorsque la jeune femme s'exclama :

— Viens chez moi. Je veux te montrer ma chambre. Je veux te faire jouer un disque. Je suis sûre que tu vas aimer ça. J'ai pensé à toi la première fois que je l'ai entendu parce que c'est vraiment ton genre. Alors je l'ai copié sur mon ordinateur. Quand je suis dans ma chambre, je le fais jouer tout le temps. C'est un mélange de…

La cloche de l'école retentit. Le visage de Marcy s'assombrit comme si elle réalisait que son beau rêve d'avoir Elizabeth à elle seule pour quelques heures ne pourrait pas se réaliser. Elizabeth sourit timidement à son interlocutrice en feignant la déception.

— Il faudra qu'on se reprenne, Marcy. Tu as un cours. Non ?

La mort dans l'âme, Marcy sourit piteusement.

— Oui. J'aimerais tellement sécher mon cours de mathématiques… Mais je ne peux pas. Mes parents me tueraient !

Soulagée, Elizabeth crut qu'elle s'en tirerait à bon compte, sans avoir blessé la pauvre fille qui, décidément, avait sérieusement besoin d'élargir son cercle social.

— Mais tu me promets que nous nous reprendrons, hein ? Tu l'as dit.

— Oui. Je l'ai dit.

Le visage de Marcy s'illumina encore et elle s'élança pour embrasser Elizabeth sur la joue avec la vigueur d'un enfant qui étreint sa mère. Il ne manquait que : «Tu es la meilleure maman du monde !» Elizabeth se laissa faire en fronçant les sourcils, étonnée.

— Tu vas voir, Elizabeth. Je vais te montrer que même toi tu peux avoir des amis. Nous allons être les meilleures *best* du monde entier. Je t'appelle ce soir.

Marcy pivota sur ses talons et s'engouffra dans l'école.

Elizabeth ne put s'empêcher de penser que sa mère serait encore obligée de mentir pour elle lorsque Marcy téléphonerait ce soir-là.

Le cœur léger à l'idée de retrouver Rick chez Graham O'Sullivan, le restaurant où il travaillait, l'adolescente s'élança dans les rues de Killester vers Artane. Quand elle traversa l'artère principale qui séparait les deux banlieues de Dublin, elle se remémora l'accident de Rick.

En arrivant près du centre commercial qui abritait le restaurant, Elizabeth fronça les sourcils. Son amoureux était assis par terre, le dos contre la vitrine du commerce, les jambes recroquevillées contre sa poitrine.

— Qu'est-ce qui se passe? demanda Elizabeth lorsqu'elle fut assez proche de Rick pour se faire entendre sans devoir crier. Tu ne travailles pas?

— Tu ne me croiras pas, dit Rick en levant les yeux vers son amoureuse. Mon propre père m'a viré!

— Quoi?

— Oui, confirma Rick en se relevant. Il m'a congédié, merci, bonsoir. Je suis un irresponsable qui ne respecte rien. Toute la semaine j'ai tenté de lui faire comprendre que j'avais dû…. m'absenter quelques jours… Il n'a rien voulu entendre. Aujourd'hui, il en avait assez, et pouf! plus d'emploi.

Elizabeth passa machinalement ses doigts dans ses cheveux, comme si ce geste lui permettrait de mieux réfléchir. Voulant se faire rassurante, elle souffla:

— Bof, tu sais, ce n'est pas si grave. Tu trouveras un autre emploi.

— Si ce n'était que ça…

Elizabeth plissa le nez, inquiète.

— Qu'est-ce que tu veux dire?

— Je me suis emporté. J'ai crié à mon père que si c'était comme ça, s'il me virait du restaurant, s'il ne m'acceptait plus comme employé, moi, je le virais comme père et je refusais de vivre sous le même toit que lui. Il m'a dit: «Fais tes valises.»

Elizabeth garda le silence un moment puis elle éclata de rire.

— Mon amour, décidément, nous sommes faits pour être ensemble!

— De quoi parles-tu? demanda Rick, un peu perdu.

— Pendant que tu te faisais virer de ton travail, je me virais moi-même de l'école. Nous sommes libres. Allez, viens! Nous partons pour Québec… et ensuite, pour l'éternité!

CHAPITRE 24

Québec, 27 octobre

Après que la cloche de la fin de la journée eut retenti au Petit Séminaire, des centaines d'étudiants fébriles et excités rentrèrent rapidement chez eux pour se doucher et enfiler leurs costumes. Plusieurs d'entre eux n'avaient jamais été aussi heureux de retourner à l'école après les heures de classe, Sarah la première !

Elle avait donné rendez-vous à Francis, Jolane et Simon près de l'entrée des élèves pour qu'ils entrent ensemble dans la grande salle abondamment décorée pour l'occasion.

Déjà dépouillés de leurs légers manteaux d'automne qu'ils avaient dû enfiler par-dessus leurs costumes pour contrer le vent frais qui s'était levé dans l'après-midi, les quatre jeunes regardèrent passer des dizaines de sorcières, de gnomes, de fantômes et de monstres de tout acabit ainsi que quelques fées, magiciens et vampires, sans parler des quelques superhéros… et bols de toilette avec brosses récurrentes assorties ! Dans l'aire commune, Sarah et ses amis échangèrent des commentaires enthousiastes sur leurs propres déguisements.

— Vous êtes trop *cool* en Dracula et sa femme, lança Simon en regardant Francis et Jolane. Et Sarah…

Il s'arrêta un moment et rougit, tant il était soufflé par la beauté de l'élue de son cœur dans la robe de Juliette. Francis et Jolane gloussèrent.

Francis taquina son copain :

— Tu peux le dire, Simon, que Sarah est super belle !

Le quatuor rigola. Simon offrit sa main à Sarah qui l'accepta avec plaisir. Le sourire de cette dernière tomba cependant rapidement lorsque Frankenstein frôla son épaule en passant près d'elle.

— Wow ! Il est super beau, hein ? dit Jolane, admirative, en voyant s'éloigner l'adolescent déguisé.

Sarah fronça les sourcils, troublée, pendant que Francis simulait une moue jalouse.

— Bof ! Je trouve que je suis plus beau que lui.

Jolane pouffa et donna une petite claque à Francis.

— Niaiseux !

— Aïe ! Si tu me frappes encore comme ça, je vais te mordre !

Sarah n'avait rien entendu de cet échange. Elle suivait du regard l'adolescent qui avait disparu au bout d'un couloir. Elle repensa au garçon troublant qui lui avait donné l'impression de la suivre, l'autre jour. Celui qu'elle avait aperçu dans la vitrine du costumier… son visage se reflétant sur un masque de Frankenstein, justement… Et n'était-ce pas le même inconnu qui l'avait bousculée le lundi matin, pendant son trajet pour l'école?

— Tu viens? demanda Simon, en revenant vers Sarah qui avait été distancée par les trois autres.

— Hein? Euh… oui, oui.

Ils parvinrent rapidement dans les couloirs décorés et éclairés de lumière glauque.

— Ta sœur n'est pas avec toi? demanda Sarah à Simon.

— Elle est à l'accueil alors… elle est déjà dans la salle. Je vais te la présenter, c'est sûr. Il paraît qu'on ne se ressemble pas beaucoup, mais… je ne sais pas.

Sans réfléchir, Sarah échappa:

— Moi aussi, ça se peut que ma sœur vienne.

— Tu as une sœur? Elle vient à l'école ici?

— Euh… oui. J'ai une sœur.

Sur ce, ils remirent leur billet à une punkette à la perruque mauve fluo et s'engouffrèrent dans la salle en se penchant légèrement pour éviter d'accrocher les fils d'araignées qui pendouillaient dans l'arche de l'entrée.

La musique assourdissante à la basse pénétrante leur donna tout de suite le goût de danser. Des papillons de joie se mirent à virevolter dans leurs ventres. Cette soirée allait être inoubliable, c'est certain!

Simon chercha sa sœur des yeux. Il ne réussit pas à la repérer. Alors il pivota sur lui-même et prit la main de

Sarah, qu'il entraîna vers la vaste piste de danse au milieu de la salle.

— Venez danser, lady Capulet!

Les yeux du jeune Roméo étaient si brillants, même dans la noirceur, que Sarah oublia totalement sa timidité. Elle suivit son compagnon.

Bien que le tube *dance* de l'heure qui émanait des haut-parleurs aurait mieux convenu à une danse indivi- duelle, Simon semblait refuser d'abandonner la main de Sarah, comme s'il avait attendu cette chance depuis trop longtemps et qu'il avait voulu profiter de chaque seconde de proximité. Bientôt, les pirouettes et les déhanchements de Simon semblèrent se propager un peu partout dans la salle puisque d'autres jeunes qui s'étaient jusque-là attardés devant le bol de punch et à la table des victuailles s'amenèrent sur la piste de danse en bougeant au rythme de la musique. Ainsi, on put apercevoir un Freddy se dandinant avec une Alice sortie de son pays des merveilles, une Blanche-Neige avec une grenouille, une geisha avec un Batman et une petite sirène un peu trop sexy pour le Petit Séminaire qui tentait d'attirer l'attention d'un Frankenstein dont le regard était toujours tourné vers… Juliette!

Sarah sentit assez rapidement le regard ardent du monstre sur elle, même à travers ce gros masque de latex vert olive qui devait être vraiment très chaud, pensa-t-elle.

Heureuse d'être avec Simon qui était visiblement emballé de partager ce beau moment avec elle, Sarah tentait désespérément de ne pas se laisser déconcentrer par Frankenstein. Mais elle n'y arrivait pas. Soudain, elle se mit à penser à Milos et à Elizabeth. Étaient-ils déjà arrivés? Elle jeta un œil à sa montre. Heureusement, Simon ne le remarqua pas. Il aurait sans doute été un peu insulté. Dix-neuf heures treize minutes. Milos avait dit qu'il viendrait tout au début de la fête parce qu'il devait quitter tôt pour retourner faire le *Picture Show* à New York à minuit. Elizabeth semblait avoir tout son temps, alors peut-être arriverait-elle plus tard?

— Viens, Sarah! Je vois ma sœur!

Tirée par son Roméo enthousiaste, Sarah se trouva rapidement près de l'entrée de la salle, devant une très jolie Morticia Addams, la mère de la fameuse famille lugubre.

— Sarah, je te présente Ariane. Ariane, c'est Sarah.

Les yeux des deux filles se rencontrèrent. Ariane tendit la main à l'amoureuse de son petit frère.

— Enchantée. Simon m'a beaucoup parlé de toi. C'est vrai que tu es belle.

Simon donna une petite claque plus ou moins discrète à sa grande sœur qui l'ignora.

Sarah s'exclama:

— Ariane, tu ressembles *tellement* à ma sœur. C'est fou!

Ne sachant pas trop comment interpréter cette affirmation, Ariane sourit gentiment.

— *You think?* fit une voix derrière Sarah. *Maybe a little, but… not tonight* [10].

Sarah fronça les sourcils en se demandant qui pouvait se mêler si effrontément de la conversation – en anglais, de surcroît ! Elle se tourna vers l'intruse, une jeune femme portant une magnifique robe et une impressionnante perruque blanche qui rappelaient Marie-Antoinette. Le bas de son visage était couvert par un éventail délicat, finement décoré de broderie ancienne. La jeune femme enchaîna, dans un français laborieux :

— Bonjour, Ariane… Moi, je m'appelle…

Puis elle baissa son éventail. Sarah s'écria :

— ELIZABETH !

Étouffée par sa petite sœur qui la serrait trop fort, l'aînée de Dracula dit :

— Elizabeth… «le» sœur de Sarah.

Relâchant son emprise, Sarah balbutia en anglais :

— Je suis tellement contente que tu sois venue !

Puis elle fit les présentations :

— Simon et Ariane, je vous présente ma sœur…

— Elizabeth ! dirent en chœur Simon et Ariane, amusés.

— Vous comprenez l'anglais ? s'étonna Sarah.

---

[10] Tu trouves ? Peut-être un peu, mais… pas ce soir.

— Je ne suis pas en classe enrichie pour rien! dit spontanément Simon.

Sarah sourit, heureuse. L'enrichi était une autre chose qu'ils avaient en commun.

Ariane s'adressa à celle qui avait effectivement une certaine ressemblance avec elle.

— Salut! C'est la première fois que je te vois. Tu es en quelle année?

Le sourire d'Elizabeth s'estompa légèrement. Après tout, elle n'avait pas le droit d'être là.

— Ah, je… j'habite à Killester, en Irlande. Je ne suis pas d'ici. Sarah et moi ne savons que depuis quelques jours que nous sommes des sœurs. Nous avons toutes les deux été adoptées.

Mal à l'aise, Ariane se mit à regarder un peu partout.

— Ce bal costumé est réservé aux étudiants du Petit Séminaire, dit-elle discrètement à l'oreille d'Elizabeth.

Après un court silence, elle ajouta avec un air taquin:

— Alors garde ton éventail devant ton nez et ta bouche si tu veux passer inaperçue!

Elizabeth et Sarah sourirent, soulagées et reconnaissantes envers Ariane.

— Elle est vraiment super, ta sœur, souffla Sarah à Simon.

Simon profita de la proximité de sa belle Juliette pour poser ses lèvres sur les siennes. Après le baiser, il murmura :

— Toi aussi, tu es vraiment super.

Elizabeth et Ariane échangèrent un regard complice.

Comme si l'animateur de la soirée avait tout prévu, il enchaîna avec une pièce musicale toute désignée pour une danse plus intime. Spontanément, Simon prit galamment la main de Sarah et l'entraîna sur le plancher de danse. Ils s'enlacèrent tendrement et dansèrent joue contre joue. La jeune fille était comblée. Plus rien n'existait autour d'elle et son bien-aimé. La douce chaleur des mains de Simon sur ses reins procurait à Sarah une sensation enivrante qu'elle voulait graver dans sa mémoire à tout jamais… et revivre souvent !

Les pieds des tourtereaux se balançaient tout doucement au rythme de la musique, et les mains de Sarah se baladaient sur la chemise de Simon. Comme le tissu était agréable au toucher ! Sarah se demanda si la peau du dos de son amoureux serait aussi plaisante à caresser, mais ce serait pour une autre fois. Il ne fallait pas aller trop vite. Elle était si bien dans ses bras. Elle inspira profondément et fut prise par surprise lorsque sa poitrine gonflée effleura le torse de Simon. Un agréable frisson parcourut son corps de jeune fille. Une sensation qu'elle n'avait jamais éprouvée auparavant. Ses yeux s'ouvrirent et son sourire se modifia. Simon avait-il ressenti la même chose ? Tout semblait normal, inchangé, naturel. Elle ferma les yeux en expirant.

Simon souffla dans son oreille :

— Ça va ?

— Oui. Et toi ?

— Super.

— Moi aussi.

Simon et Sarah étaient toujours joue contre joue. Sarah ouvrit encore les yeux et regarda un peu à gauche et à droite sans bouger, comme une enfant qui prépare un mauvais coup. Elle sourit, ferma les yeux et inspira profondément, savourant ce moment de pur bonheur.

Lorsque les deux pièces musicales plus douces – parce que l'animateur de la soirée avait eu la bonne idée d'en enchaîner deux ! – cédèrent la place à une musique plus dynamique, Sarah embrassa tendrement son amoureux, puis elle s'éloigna un peu de lui. Comblé, le jeune homme la regarda avec des étoiles dans les yeux… avant de se mettre à danser comme un déchaîné, comme si le baiser lui avait donné une énergie qu'il n'arrivait pas à contrôler. Son numéro de pantin désarticulé fit rire Sarah qui lui dit :

— J'ai soif. Veux-tu que je te rapporte un verre de punch ?

Simon plaça ses deux mains comme des marionnettes à gaine de chaque côté de son visage, et il les regarda tour à tour. Puis lui et ses «personnages» firent oui de la tête en dansant ! Sarah éclata de rire. Sans quitter Simon des yeux, elle agrippa les bords de sa robe et

Juliette fit une petite révérence à son Roméo avant de se faufiler entre les danseurs pour se rendre au bol de punch.

Rapidement, Marie-Antoinette rejoignit sa petite sœur et lui souffla :

— Il est vraiment adorable. Vous êtes très mignons.

Rose de bonheur, Sarah remercia Elizabeth avant de demander :

— As-tu vu Milos ?

— Pas encore.

— C'est bizarre, non ?

— Peut-être qu'il a eu un empêchement.

— Non ! Ne dis pas ça ! Je veux tellement lui présenter Simon.

— Oui, je comprends. Et, tu sais, sa sœur est vraiment sympathique. Je crois que je pourrais m'attacher à elle, que nous pourrions devenir de bonnes amies.

— Qu'est-ce que tu veux dire ?

— Je veux dire… si jamais Rick et moi venions nous établir au Québec…

— Quoi ?

Elizabeth éclata de rire.

— On ne sait jamais !

— Quoi ? Tu viendrais vivre ici ? Il faut que tu me racontes tout, mais pas maintenant. J'ai trop soif et j'ai promis à Simon de lui apporter un verre de punch.

— Alors ne le fais pas attendre… De toute façon, moi, je dois aller aux toilettes. On se retrouve plus tard.

Elizabeth s'approcha doucement de Sarah. Se camouflant derrière son éventail, elle déposa un baiser sur la joue de sa petite sœur.

Les deux filles se quittèrent. Tout heureuse, Sarah sautilla jusqu'au bol de punch. La jeune fille trempa la louche dans l'étrange liquide rouge et vert et s'en versa une longue rasade. Elle la but d'un trait, trop assoiffée. Jugeant le goût agréable, elle s'en servit un deuxième verre et s'apprêta à en remplir un pour Simon. En pensant à lui, elle se tourna vers le plancher de danse et vit son amoureux qui se déchaînait toujours, euphorique. Sarah ne put s'empêcher de rire des mouvements de hip-hop rigolos qui ne correspondaient pas du tout à la chanson plutôt rock alternatif qui sortait des haut-parleurs.

Elle commençait à remplir le verre pour Simon lorsqu'une voix se fit entendre derrière elle.

— Salut, Sarah.

— Milos ? dit l'interpellée en se tournant vers la voix.

Derrière elle se tenait un Frankenstein qui la dépassait d'une tête. Sarah échappa le verre de punch en sursautant.

— Tu es vraiment belle, ce soir, tu sais ?

— Est-ce qu'on se connaît ?

— Moi, j'aimerais vraiment ça te connaître plus. Viens.

Le monstre attira Sarah vers lui en l'agrippant par le bras. Au moment où la jeune fille était sur le point de se mettre à crier, sa bouche fut couverte d'un tissu imbibé d'éther. Sarah se débattit un peu, mais elle perdit rapidement connaissance.

— Maudit punch ! C'est fort, hein ? dit ironiquement l'assaillant.

Frankenstein camoufla rapidement son arme dans son pantalon. Tenant Sarah solidement contre lui, il faisait semblant de valser avec sa victime. Il entraîna ainsi la jeune fille inconsciente dans un coin sombre, à l'abri des regards, et retira son masque de Frankenstein.

— J'ai frappé le *jackpot* cette fois-ci, se dit-il à voix haute en regardant Sarah. Tu es vraiment belle, ma princesse.

L'adolescent caressait les cheveux d'ébène de sa victime en haletant gloutonnement.

— Sarah ? Sarah, réveille-toi !

Il repoussa les cheveux de Sarah derrière son épaule. Excité par l'anticipation de posséder la fille du comte Dracula, le jeune homme fit durer son plaisir en léchant plusieurs fois le cou de la préadolescente. Le souffle de plus en plus intense de son agresseur tira Sarah des limbes.

— Qu'est-ce que tu me veux ? souffla-t-elle faiblement.

— Ah! Je suis content que tu sois revenue à toi. C'est ce soir que ça se passe, Sarah. Laisse-toi faire.

Sarah tenta de se défaire de l'emprise de son agresseur, mais elle ne trouvait pas la force nécessaire, car elle ressentait toujours les effets de l'éther.

— Tu vas voir. C'est vraiment bon. Laisse-toi aller.

Le monstre sourit à Sarah qui, les yeux entrouverts, aperçut ses canines proéminentes. La jeune fille se fit la réflexion qu'effectivement une visite chez l'orthodontiste ne lui ferait pas de tort. Puis elle perdit connaissance lorsque le vampire plongea ses dents dans son cou.

†

Après trois chansons enchaînées, Simon et Elizabeth commencèrent à se demander où Sarah était passée. Quelques jeunes avaient remarqué le punch renversé devant la table lorsqu'ils avaient mis les pieds dedans. Elizabeth fut la première à s'inquiéter pour sa sœur. Cependant, elle ne voulait pas attirer l'attention. Elle ne serait pas très utile à Sarah si elle se faisait mettre dehors du Petit Séminaire!

— Tu es sûre qu'elle n'est pas aux toilettes? avait demandé Simon.

— Ah, ça se peut… Ne t'inquiète pas, avait répondu Elizabeth, évasive. Je vais aller voir.

En se dirigeant vers la salle des toilettes, l'adolescente tournait sa tête comme une girouette, cherchant de plus en plus désespérément sa jeune sœur. Soudain, elle heurta de plein fouet un grand gaillard portant un costume qui rappelait le personnage de Jack Skellington dans le film *The Nightmare Before Christmas* de Tim Burton.

— Elizabeth?

— Milos? C'est toi?

— Bonsoir. Tu as vu Sarah?

— Oui… mais… non. Enfin… oui, au début de la soirée, mais maintenant, elle a disparu. J'ai vraiment peur qu'il lui soit arrivé quelque chose.

Étonnant duo, Marie-Antoinette et Jack Skellington se mirent à fouiller la salle de bal dans ses moindres recoins. Après plusieurs minutes, leur panique s'intensifiant de plus en plus, ils entendirent un cri.

— AU SECOURS!

Plusieurs jeunes costumés accoururent vers l'étroit couloir qui menait à une sortie d'urgence, près de la table des victuailles. Comme pris dans un entonnoir, seuls les premiers arrivés purent contempler la scène. La musique fut interrompue et on alluma l'éclairage dru des néons qui aveugla tout le monde.

Deux enseignants se frayèrent rapidement un chemin, bousculant les adolescents pour arriver plus vite sur les lieux.

En très peu de temps, des bouts de phrases, des cris, des pleurs et des mots étouffés fusèrent de partout.

— C'est Sarah!

— Appelez une ambulance!

— On dirait qu'elle est droguée.

— Faites le 9-1-1!

— Soûle?

— Sarah? Oh non! Sarah!

Impuissants et en état de choc, deux personnages costumés – Marie-Antoinette et Jack Skellington – se mirent à reculer lentement, s'éloignant de la foule.

ÉPILOGUE

Le corps inanimé de Sarah fut rapidement transporté à l'hôpital. Le directeur adjoint de la troisième secondaire eut la triste tâche d'en informer Lyne et David qui, lisant au lit, attendaient paisiblement le retour de leur fille à la maison.

À l'urgence, c'est une Sarah intubée et branchée sur un soluté que l'on roula sur une civière.

— J'ai une jeune fille de douze ans, martela la technicienne en soins ambulanciers à l'urgentologue en résidence, une t.a. à 80 sur 40, un pouls à 108, une respiration à 12, un Glasgow à 3.

On procéda à des analyses sanguines rapides pour savoir si Sarah ne souffrait pas d'un empoisonnement éthylique attribuable à une trop forte consommation d'alcool ou si elle n'avait pas fait une mauvaise réaction à l'ecstasy ou à une autre drogue, étant donné qu'elle avait été trouvée sur les lieux d'une fête. Rien.

Pendant les procédures médicales, la respiration de Sarah devint de plus en plus faible et la jeune fille tomba en arrêt cardiaque. Rapidement, on procéda aux manoeuvres de réanimation, à la ventilation assistée et au massage cardiaque. En vain. Comme dernier recours, on se servit d'un défibrillateur pour remettre le coeur de Sarah en marche. Le muscle se réveilla et se remit à battre. Sur-le-champ, on transfusa du sang à la préadolescente et son état se stabilisa. Branchée à un moniteur, elle fut transférée dans une chambre aux soins intensifs.

David et Lyne foncèrent au poste de triage de l'urgence dès qu'ils arrivèrent à l'hôpital, leurs pardessus d'automne jetés sur leurs épaules couvrant à peine leurs pyjamas.

— Nous sommes les parents de Sarah Duvall. Qu'est-ce qui s'est passé?

†

Sur le corps inerte de Sarah apparut une longue ombre. Le comte Dracula, qui portait un sarrau, se pencha sur sa fille.

— Sarah, ma belle enfant…

Une larme coula sur la joue du roi des vampires après qu'il eut posé sa main sur le front de la petite.

— Tout cela est ma faute. Ne me quitte pas. Je viens à peine de te retrouver. J'ai tant de projets, tant d'espoir maintenant que tu es là.

Le comte entendit la voix de Lyne, désespérée, monter au loin dans un cri déchirant.

— LAISSEZ-MOI VOIR MON ENFANT!

Au son du moniteur qui suivait les battements du cœur de Sarah, qui s'accrochait à la vie, le comte Dracula se pencha sur la jeune fille et lui chuchota doucement, tout en caressant ses cheveux d'ébène sous les tuyaux qui l'aidaient à respirer :

— *Mon* enfant… Makiko…

Saint-Michel-de-Napierville,
Brossard, Saint-Jean-sur-Richelieu,
Montréal, Atlanta (Georgie, É.-U.),
Melbourne Beach (Floride, É.-U.),
Saint-Georges-de-Beauce,
du 29 septembre 2009 au 8 janvier 2010

REMERCIEMENTS

Francine Allard, John Badham, Christine Bédard, Éric Bernard,
Philippe Bernard, Daniel Bertrand, Richard Blaimert,
Markita Boies, Claude Bolduc, Sylvie Bouchard,
Henriette Boudreau Comeau, Cassandra Brassard, Yvon Brochu,
Ginette Brunette, Ann Caza, Elizabeth-A. Caza-Comeau,
Sr Lorraine Caza, c.n.d., Louise Caza, Fr Robert Chagnon, f.m.s.,
Marie-Andrée Clermont, Émilie Cloutier-Lévesque, Carl Comeau,
Charlotte Comeau, Maxime Comeau, Robert Comeau Jr,
Tanya Comeau, Angèle Delaunois, Corinne De Vailly,
Sylvie-Catherine De Vailly, Normand Desloges,
Sr Lise Desrochers, c.n.d., Karina Diaz, Chanel Falardeau,
Mathieu Fortin, Megan Fox, Marie-Josée Gaboury, Cécile Gagnon,
Evelyne Gauthier, †Mary Gurney Caza, Souyuan Jetten-Duchesneau,
Simon Laberge, Colombe LaBonté, Hubert T. Lacroix,
Ianik Lajeunesse, Julie Lalancette, Sylvie Lallier, Frank Langella,
Isabelle Larouche, Nicole Lefebvre, †Louise Légaré,
Charlotte Léger, Michel J. Lévesque, Marie-Christine Loyer,
†Bela Lugosi, Hélène Magloire-Holly, Estelle Martin,
Davey T. Mitchell, Marie-Josée Morasse, Vivianne Moreau,
Danielle Morissette, Raphaël Murray, Francine Paillé,
Marie-Pier Phaneuf, Caroline Poulin, Chantal Primeau,
Diane Raymond, Jacques René, Jonathan Reynolds, Anne Rice,
Mélina Richard, Sylvain Rivard (Vainvard),
Philippe St-Jean-Pellerin, Anthony Sévigny, Éric Sévigny,
Robert Soulières, †Bram Stoker, Sybiline, Chloée Théoret,
Louise Tondreau-Levert, Steve Vachon, Lise Vaillancourt,
Gustavo Verdier, Federico Verdier Diaz, Caroline Viau.

Note : *Dans ce livre, truffé de clins d'œil, je me suis aussi permis des coups de chapeau – parfois subtils, parfois moins sagaces ! – aux écrivains Bruno Muscat, Michel Ocelot, Philippe Andrieu… et à l'auteur et traducteur fantôme de l'adaptation livresque du film* Le Roi Lion *(Grolier Ltée). Pour ma Charlotte d'amour !*

YANIK COMEAU

Écrivain, comédien, enseignant, metteur en scène, scénariste, journaliste, traducteur, animateur, conférencier, chroniqueur à la radio et à la télévision : voilà autant de professions que Yanik Comeau a pratiquées et pratique encore.

Comme écrivain, il a remporté le Concours Libellule 1993 des éditions Héritage avec son premier roman jeunesse, *L'arme secrète de Frédéric.* Il n'a jamais cessé d'écrire, tant des romans que des nouvelles et du théâtre, tant pour les enfants, les adolescents que les adultes. Trois de ses textes ont aussi été repris dans des volumes pédagogiques à l'intention des jeunes du primaire et du secondaire.

En tant qu'auteur de théâtre, on lui doit une vingtaine de «longues» pièces – dont près d'une dizaine pour adolescents – parmi lesquelles *Carpe diem, Dramatis personæ, Modus vivendi, Vérités et conséquences, Poussières d'étoiles, Massacre à Summer's Grove* et *Descendants,* qu'il a écrites et mises en scène lors de leur création et qui sont maintenant reprises dans des écoles aux quatre coins du Québec. Yanik a aussi écrit plus de deux cents courtes pièces pour enfants et adolescents qu'il a commencé à publier en six volumes pour les enseignants qui veulent faire de l'art dramatique avec leurs élèves (collection *Coups de théâtre!* chez COMUNIK Média).

Scénariste, il a écrit cent onze textes comme coauteur de l'émission pour enfants *Les Chatouilles* à la télévision de Radio-Canada, et il a écrit les scénarios des cédéroms de *Caillou* en français et en anglais.

En plus de ses nombreuses conférences partout dans la province pour parler du métier d'écrivain (il a même fait une tournée de deux semaines en Colombie-Britannique en 2003!), Yanik dirige son école de théâtre (l'Atelier-théâtre Côté Jardin), sa maison d'édition et passe beaucoup de temps avec sa fille Charlotte, née en 2003. Il trouve néanmoins le temps d'écrire et a assumé la présidence de l'Association des écrivains québécois pour la jeunesse pendant trois ans (de 2004 à 2007).

Pour en savoir davantage sur lui, consultez son site Internet au www.comunikmedia.com. Pour en apprendre plus sur la série *Les enfants Dracula,* visitez le www.lesenfantsdracula.com.

Transcontinental
IMPRESSION
IMPRIMERIE GAGNÉ

IMPRIMÉ AU CANADA